# ALIENAÇÃO PARENTAL

# ALIENAÇÃO PARENTAL

RODRIGO BAPTISTELLA

1ª EDIÇÃO
2021

**Dados Internacionais de Catalogação na Publicação (CIP)**
**(Câmara Brasileira do Livro, SP, Brasil)**

Baptistella, Rodrigo
Alienação parental / Rodrigo Baptistella. --
1. ed. -- Itatiba, SP : Ed. do Autor, 2021.

ISBN 978-65-00-33081-6

1. Alienação parental 2. Direito civil - Legislação - Brasil 3. Direito de família – Brasil
I. Título.

21-86550 CDU-347.634(81)

**Índices para catálogo sistemático:**

1. Brasil : Alienação parental : Poder familiar : Direito de família 347.634(81)

Eliete Marques da Silva - Bibliotecária - CRB-8/9380

Dedico esta obra, com muito carinho, aos meus quatro pilares: Ocimar, Fátima, Reginaldo e Francielen, por todo amor, incentivo e apoio que tive durante toda a minha vida.

# INTRODUÇÃO

Múltiplas são as divergências entre casais que se separam, podendo ser motivadas por discordâncias quanto aos bens e patrimônios constituídos durante a união ou devido as emoções provocadas pelo fim do relacionamento. Entretanto, claramente as maiores adversidades enfrentadas após o divórcio são em relação aos filhos, vez que a carência de convívio com um dos pais e as disputas judiciais por guarda e alimentos apenas contribuem para o distanciamento físico e afetivo entre genitor e prole.

Tal problema, infelizmente corriqueiro, que atinge os lares de casais separados, se dá pelo fato de um dos genitores que envolto por sentimentos de abandono, rejeição e raiva, direciona todo seu ressentimento com o ex-cônjuge no próprio filho, assim, passa a utilizá-lo como mero instrumento de vingança, dando início a uma campanha de desmoralização, descrédito e desprestígio da outra figura parental. A referida prática é intitulada Alienação Parental.

Trata-se a alienação parental de uma expressão empregada pela primeira vez em 1985 pelo psiquiatra e professor americano da Universidade de Columbia nos Estados Unidos da América, Richard Alan Gardner, que baseado em sua vasta experiência como perito judicial em demandas envolvendo direito de família, empregou o termo para referenciar os casos em que um dos ascendentes, consternado com o fim do relacionamento, induz a criança ou o adolescente a romper quaisquer vínculos afetivos que mantenham com o outro genitor.

A referida prática nada mais é que uma manipulação emocional realizada por um dos pais, em que este se aproveita da inocência, fragilidade e vulnerabilidade do infante e, através da inserção de memórias falsas, sempre com o propósito de denegrir a imagem do outro progenitor, busca dificultar ou até mesmo eliminar o convívio entre pai e filho. Dessa forma, dá-se origem a situação conhecida como "órfão de pai vivo", no qual o menor perde completamente os laços afetivos com um de seus pais e vive como se órfão fosse.

A alienação parental provoca consequências na criança e no adolescente semelhante a uma lavagem cerebral, no qual a imagem de um dos genitores é comprometida em razão à descrição de fatos que não ocorreram ou foram narrados de maneira diversa e maliciosa pelo genitor ou responsável alienante.

Como dito, no estágio em que se encontra a sociedade atual, a alienação parental tornou-se uma prática comum no cotidiano de casais divorciados. Desta maneira, a fim de inibir esse ato, em 26 de agosto de 2010, foi sancionada a Lei nº 12.318, conhecida como Lei da Alienação Parental, que dispõe que a mencionada atividade se sucede com a interferência no desenvolvimento social e psicológico da criança ou do adolescente, por consequência da promoção ou indução por um dos genitores ou responsável pela criança, para que esta rejeite o genitor alienado, ocasionando danos aos vínculos afetivos preexistentes entre estes.

Inúmeras são as consequências que a alienação parental pode gerar, quer seja no âmbito social ou no âmbito jurídico.

Ao que se referem às consequências sociais, a criança alienada desenvolve distúrbios comportamentais e psicológicos que afetam seu desenvolvimento mental saudável. Outrossim, a consequência mais comum da prática incessante da alienação parental é o desenvolvimento da chamada Síndrome da Alienação Parental (SAP), que se trata de sequelas e danos emocionais sofridos pelo menor motivados pela alienação, em que o infante, por si próprio, desenvolve sentimentos de aversão e passa a repugnar a figura do genitor alienado.

No âmbito jurídico, uma vez detectados indícios da alienação parental na forma disposta na Lei nº 12.318/2010, resta caracterizado o evidente desrespeito a direitos fundamentais do menor dispostos na Constituição Federal, no Código Civil e no Estatuto da Criança e do

Adolescente. Isto posto, o genitor ou responsável alienante estará sujeito a sanções, que podem ser desde uma advertência até medidas mais brandas, como a suspensão do poder familiar.

Destaca-se que, apesar de severas as consequências jurídicas, mais graves ainda são os resultados terríveis provocados na criança e no adolescente, portanto, sendo de extrema importância à aplicação da Lei da Alienação Parental.

Deste modo, por meio de análises da legislação, da doutrina e de jurisprudências, vê-se necessária uma discussão sobre o tema, a fim de que sejam apontadas, de maneira detalhada, as consequências psicológicas que a criança e o adolescente estarão expostos, assim como um estudo sobre o conceito e as espécies de família nos dias atuais, bem como um parecer sobre o poder familiar e quem o exerce.

Quanto às consequências psicológicas, deve-se diferenciar a alienação parental da Síndrome da Alienação Parental, dado que, apesar da SAP ser o resultado mais comum da prática da alienação, há diferenças entre ambos os temas que demonstram-se importantes na apuração judicial.

Enfim, essencial à demonstração de como é a forma de tramitação dos processos com incidência de alienação parental, quais os meios de provas adequados e quais as sanções previstas na legislação nacional para aqueles que exercerem este ato nocivo que viola direitos e obrigações inerentes a família e aos menores.

# SUMÁRIO

## CAPÍTULO I - FAMÍLIA


1.1 CONCEITO ........ 1
1.2 EVOLUÇÃO HISTÓRICA ........ 5
1.3 PRINCÍPIOS DO DIREITO DE FAMÍLIA... 13
1.3.1 Princípio da dignidade da pessoa humana ........ 15
1.3.2 Princípio da solidariedade familiar ........ 17
1.3.3 Princípio da afetividade ........ 19
1.3.4 Princípio da igualdade ........ 22
1.3.4.1 Princípio da igualdade entre cônjuges e companheiros ........ 23
1.3.4.2 Princípio da igualdade entre filhos ........ 24
1.3.4.3 Princípio da igualdade da chefia familiar ........ 26
1.3.5 Princípio da liberdade ........ 28
1.3.6 Princípio da intervenção mínima do Estado ........ 30
1.3.7 Princípio da convivência familiar ........ 31
1.3.8 Princípio da proibição de retrocesso social ........ 33
1.3.9 Princípio do pluralismo das entidades familiares 35
1.4 ESPÉCIES DE ENTIDADES FAMILIARES 35
1.4.1 Família matrimonial ........ 37
1.4.2 União estável ........ 41
1.4.3 Família homoafetiva ........ 43
1.4.4 Família monoparental ........ 45
1.4.5 Família anaparental ........ 46
1.4.6 Família pluriparental ........ 46
1.4.7 Família poliafetiva ........ 47
1.4.8 Família eudemonista ........ 48
1.4.9 Família substituta ........ 50
1.5 DISSOLUÇÃO DA FAMÍLIA ........ 53


## CAPÍTULO II – PODER FAMILIAR


2.1 CONCEITO ........ 59

2.2 CARACTERÍSTICAS........................................ 65
2.3 TITULARIDADE DO PODER FAMILIAR... 71
2.4 EXERCÍCIO DO PODER FAMILIAR........... 79
2.4.1 Quanto à pessoa dos filhos................................ 83
2.4.1.1 Dirigir-lhes a criação e a educação...................... 83
2.4.1.2 Exercer a guarda unilateral ou compartilhada nos termos do art.1.584........................................ 86
2.4.1.3 Conceder-lhes ou negar-lhes consentimento para casarem.......................................................... 89
2.4.1.4 Conceder-lhes ou negar-lhes consentimento para viajarem ao exterior.................................. 91
2.4.1.5 Conceder-lhes ou negar-lhes consentimento para mudarem sua residência permanente para outro Município.................................................. 93
2.4.1.6 Nomear-lhes tutor por testamento ou documento autêntico, se o outro dos pais não lhe sobreviver, ou o sobrevivo não puder exercer o poder familiar....................................... 95
2.4.1.7 Representá-los judicial e extrajudicialmente até os 16 (dezesseis) anos, nos atos da vida civil, e assisti-los, após essa idade, nos atos em que forem partes, suprindo-lhes o consentimento.... 98
2.4.1.8 Reclamá-los de quem ilegalmente os detenha.... 101
2.4.1.9 Exigir que lhes prestem obediência, respeito e os serviços próprios de sua idade e condição 103
2.4.2 Quanto aos bens do filho.................................... 108
2.5 EXTINÇÃO DO PODER FAMILIAR............ 114
2.5.1.1 Suspensão do poder familiar............................... 118
2.5.1.2 Destituição do poder familiar.............................. 124

## CAPÍTULO III – ALIENAÇÃO PARENTAL

3.1 CONCEITO......................................................... 133
3.2 DIFERENÇAS ENTRE ALIENAÇÃO PARENTAL E SÍNDROME DA ALIENAÇÃO PARENTAL................................ 145
3.3 FORMAS DE ALIENAÇÃO PARENTAL...... 151

3.3.1 Realizar campanha de desqualificação da conduta do genitor no exercício da paternidade ou maternidade ........ 154
3.3.2 Dificultar o exercício da autoridade parental ...... 156
3.3.3 Dificultar contato de criança ou adolescente com genitor ........ 158
3.3.4 Dificultar o exercício do direito regulamentado de convivência familiar ........ 160
3.3.5 Omitir deliberadamente a genitor informações pessoais relevantes sobre a criança ou adolescente, inclusive escolares, médicas e alterações de endereço ........ 162
3.3.6 Apresentar falsa denúncia contra genitor, contra familiares deste ou contra avós, para obstar ou dificultar a convivência deles com a criança ou adolescente ........ 164
3.3.7 Mudar o domicílio para local distante, sem justificativa, visando a dificultar a convivência da criança ou adolescente com o outro genitor, com familiares deste ou com avós ........ 170
3.4 CARACTERÍSTICAS DO ALIENADOR ........ 174
3.5 CONSEQUÊNCIAS DA ALIENAÇÃO PARENTAL NA CRIANÇA E NO ADOLESCENTE ........ 186
3.6 ALIENAÇÃO PARENTAL NO ÂMBITO JUDICIAL ........ 205
3.6.1 Desrespeito aos direitos fundamentais ........ 206
3.6.2 Tramitação prioritária e medidas provisórias ...... 210
3.6.3 Formas de prova ........ 215
3.6.3.1 Dificuldade na produção de provas ........ 220
3.6.4 Sanções para os genitores ou responsáveis alienantes ........ 222
3.6.5 Responsabilidade civil e penal do alienador ........ 237
AGRADECIMENTOS ........ 243
SOBRE O AUTOR ........ 245
REFERÊNCIAS BIBLIOGRÁFICAS ........ 247

# CAPÍTULO I
# FAMÍLIA

## 1.1 CONCEITO

Desde os primórdios da sociedade, quer seja em um contexto jurídico, social ou religioso, tem-se a família como uma instituição sagrada e indissolúvel, responsável pelo desenvolvimento educacional, moral e ético do ser humano[1]. Dessa forma, família se estabelece como a base do Estado e o núcleo fundamental em que repousa toda a organização social[2].

Dada à importância do tema, faz-se necessário um estudo da legislação e da doutrina, a fim de elucidar e conceituar a entidade familiar, vez que cada ramo do direito traz uma definição sobre o tema.

Primeiramente, em breve síntese, família é definida no dicionário da língua portuguesa como um conjunto de pessoas que vivem sob o mesmo teto, em geral ligadas por laços de parentesco, independentemente de possuírem vínculo sanguíneo, adjuntos pelo

---

[1] DIAS, Maria Berenice. Manual de direito das famílias I / Maria Berenice Dias. – 10. ed. rev., atual. e ampl. – São Paulo: Revista dos Tribunais, 2015. p. 56

[2] GONÇALVES, Carlos Roberto. Direito civil brasileiro, volume 6: direito de família / Carlos Roberto Gonçalves. – 9. ed. – São Paulo : Saraiva, 2012. p. 23

casamento, filiação ou afinidade[3].

No ordenamento jurídico nacional, diversas são as definições de família e, nesse sentido, a Constituição Federal de 1988, em seu artigo 226, refere-se a família como base da sociedade, devendo ser protegida de forma especial pelo Estado. Com efeito, os parágrafos 3 e 4 do referido artigo, trazem uma definição específica da entidade familiar:

> Art. 226. A família, base da sociedade, tem especial proteção do Estado.
>
> [...]
>
> § 3º Para efeito da proteção do Estado, é reconhecida a união estável entre o homem e a mulher como entidade familiar, devendo a lei facilitar sua conversão em casamento.
>
> § 4º Entende-se, também, como entidade familiar a comunidade formada por qualquer dos pais e seus descendentes[4].

Uma vez que a Carta Magna é taxativa ao afirmar que a família deve ser protegida, o Código Penal dedica a integralidade de um de seus títulos com o propósito de zelar pela entidade familiar. O Título VII, dedicado ao aludido tema, aborda os crimes contra a família, dos quais podem ser citados os crimes de bigamia e

---

3 MICHAELIS, Dicionário Brasileiro da Língua Portuguesa. Disponível em: <http://michaelis.uol.com.br/busca?r=0&f=0&t=0&palavra=familia>.

4 BRASIL, Constituição (1988). Constituição da República Federativa do Brasil. Brasília, DF: Senado Federal, 1988. Disponível em: <http://www.planalto.gov.br/ccivil_03/constituicao/constituicaocompilado.htm>

abandono material, elencados nos artigos 235 e 244, respectivamente.

No âmbito do Direito Civil, não há no Código uma definição concreta do que se trata família, assim, coube à doutrina estabelecer um conceito. Genericamente, família é definida a partir do casamento, no qual duas pessoas se unem com o objetivo de estabelecerem uma comunhão de vidas e de conceberem filhos, cuja estruturação se dará através do direito[5]. Tal definição é consolidada pelo artigo 1.511 do Código Civil: "O casamento estabelece comunhão plena de vida, com base na igualdade de direito e deveres dos cônjuges[6]".

No mesmo sentido, o artigo 1.723 reconhece como entidade familiar à união estável entre homem e mulher, estabelecida com o objetivo de constituição de família:

> É reconhecida como entidade familiar a união estável entre o homem e a mulher, configurada na convivência pública, contínua e duradoura e estabelecida com o objetivo de constituição de família[7].

Quanto à doutrina, Sílvio de Salvo Venosa, através de uma análise da legislação e dos costumes da sociedade, traz a definição de família em *latu sensu*:

---

5 DIAS, Maria Berenice. op. cit., p. 29.
6 BRASIL, Código Civil (2002). Brasília, DF: Senado Federal, 2002. Disponível em: <http://www.planalto.gov.br/ccivil_03/leis/2002/L10406.htm>.
7 Ibid.

> As fontes das relações de família são o casamento, o parentesco, a afinidade e a adoção. [...] O parentesco é o vínculo que une duas ou mais pessoas, em decorrência de uma delas descender da outra ou de ambas procederem de um genitor comum. Essa definição não leva em conta ainda o parentesco socioafetivo que exige maior meditação[8].

No mesmo seguimento, Carlos Roberto Gonçalves discorre que família não abrange somente cônjuges e prole, mas também todas as pessoas unidas por um tronco ancestral comum, seja pelo vínculo de sangue, pela afinidade ou pela adoção, assim, compreendendo-se à família os cônjuges, companheiros, parentes e afins. Em contrapartida, o doutrinador ressalva que a legislação refere-se à família como um núcleo mais restrito, constituído por duas pessoas de sexos diferentes com a intenção de conceberem filhos que herdarão seus nomes e patrimônios[9].

Cabe salientar que o conceito de família composta exclusivamente por pessoas de sexos diferentes foi afastado, posto que, em 2011, o Supremo Tribunal Federal (STF), julgou a Ação Direta de Inconstitucionalidade (ADI) 4277 e a Arguição de Descumprimento de Preceito Fundamental (ADPF) 132, reconheceu a união de casais do mesmo sexo, adequando à legislação nacional às mudanças de estrutura da própria sociedade. No mais, o Conselho Nacional de Justiça (CNJ), em 14 de maio de 2013, através da

---

[8] VENOSA, Sílvio de Salvo. Direito civil: direito de família / Sílvio de Salvo Venosa. - 11 ed. - São Paulo: Atlas, 2011. p. 215

[9] GONÇALVES, Carlos Roberto. op. cit., p. 23-24

Resolução nº 175, impede que os cartórios brasileiros se neguem a converter as uniões estáveis homoafetivas em casamento civil.

Diante de todo o exposto, assentado pela doutrina e pela legislação vigente, conclui-se que família pode ser conceituada como uma união de pessoas, de parentesco consanguíneo ou simplesmente por afinidade, com a finalidade de estabelecerem uma comunhão plena de vida, com base na igualdade de direitos e deveres entre os membros que a compõem.

## 1.2 EVOLUÇÃO HISTÓRICA

Apresentada e esclarecida à conceituação, necessita-se agora a realização de um estudo do contexto e do desenvolvimento histórico da entidade familiar.

Primeiramente, cabe uma análise da origem etimológica do termo família. O vocábulo provém da palavra em latim *famulus*, criada na Roma Antiga e significa escravo doméstico. O termo era utilizado pelos romanos para definir o organismo social, no qual mulher, filhos e escravos tinham seus direitos sob o poder de um homem, do chefe[10]. Nesse sentido, o vocábulo se refere ao grupo de pessoas sujeitas ao comando do *paterfamilias*. Ressalva-se que a expressão *Pater* refere-se à figura de um chefe que exerce potencial ou efetivo poder,

---

[10] ENGELS, Friedrich. A Origem da Família da Propriedade Privada e do Estado / Friedrich Engels. - 9. ed. – Rio de Janeiro: Civilização Brasileira, 1984. p. 61

não querendo dizer pai[11].

Dessa forma, pode-se concluir que o vocábulo família originou-se no sentido de fazer alusão a um conjunto organizado de pessoas, unidos pela consanguinidade ou não, livres ou não livres, subordinados ao poder paterno de um chefe[12].

Definida etimologicamente, parte-se para uma análise da evolução histórica e existencial da família, com o propósito de demonstrar suas distintas composições e ideologias através dos séculos.

Cogitasse que o *homo sapiens,* no princípio da sociedade humana, vivia em completa promiscuidade, no qual homem e mulher praticavam relações sexuais com seus semelhantes que descendiam do mesmo tronco genealógico. O ser humano, durante esse momento de seu curso evolutivo, guiava-se restritamente pela lascívia e a satisfazia sem restrições[13]. O acasalamento apresenta-se oriundo aos seres humanos, seja pela repulsa ao isolamento ou simplesmente pelo instinto de perpetuação da espécie[14]. Em contrapartida, vez que os descritos fatos ocorreram em um estágio primitivo da humanidade, a afirmação de que o ser humano proibiu o incesto com o intuito de preservação da espécie, encontra-se apenas no âmbito

---

11 CRETELLA JÚNIOR, José. Curso de Direito Romano: o Direito Romano e o Direito Civil Brasileiro no Novo Código Civil / José Cretella Júnior. – 30. ed. – Rio de Janeiro: Forense, 2008. p. 77

12 ENGELS, Friedrich. op. cit., p. 61

13 COELHO, Fábio Ulhoa. Curso de direito civil, família, sucessões, volume 5 / Fábio Ulhoa Coelho. – 5. ed. rev. e atual. – São Paulo: Saraiva, 2012. p. 22-23

14 DIAS, Maria Berenice. op. cit., p. 29

especulativo[15].

Para Fábio Ulhoa Coelho é exatamente deste princípio, da proibição do incesto, que se originou a família:

> Por óbvio, à época em que começou a praticar a proibição do incesto, o *Homo sapiens* não tinha a menor ideia da importância disso para seu desenvolvimento. Foi o puro instinto animal que o fez dividir as tribos em agrupamentos menores (clãs), segundo regras de quem podia e quem não podia manter relações sexuais. Essa divisão está na origem da família[16].

Nesse seguimento, o estabelecimento da família, para Pablo Stolze Gagliano e Rodolfo Pamplona Filho, parte do princípio em que o ser humano passou a pensar e agir coletivamente:

> Parece lógico, porém, que a migração de uma fase de satisfação individual das necessidades básicas de comida, bebida, sono e sexo para a formação de um conglomerado de pessoas que se identificassem, mutuamente, como membros de uma efetiva coletividade (e não uma mera reunião de individualidades), constituiu a base para o reconhecimento de uma família[17].

Extinguida a cultura primitiva do incesto e, findada a

[15] COELHO, Fábio Ulhoa. op. cit., p. 23
[16] COELHO, Fábio Ulhoa. op. cit., p.23
[17] GAGLIANO, Pablo Stolze; FILHO, Rodolfo Pamplona. Novo curso de direito civil, volume 6 : Direito de família — As famílias em perspectiva constitucional / Pablo Stolze Gagliano, Rodolfo Pamplona Filho. – 2. ed. rev., atual. e ampl. – São Paulo: Saraiva, 2012. p. 40

promiscuidade supra descrita, cogita-se que nos primórdios da constituição estrutural familiar, predominava o sistema matriarcal, precedendo o sistema do patriarcado. O sistema versa sobre a centralização do exercício do governo familiar pela mulher, pela mãe. No matriarcado, o homem apresentava-se como ser caçador, guerreiro, se ausentando de seu ambiente habitual por longos períodos, cabendo à mulher o cultivo da terra e a tutela dos filhos, por ela se registrando a descendência e a sucessão[18]. Denota-se que apesar da proibição do incesto, a endogamia, que trata-se do cruzamento entre organismo de parentesco próximo[19], subsistia na sociedade através de relacionamentos poligâmicos e a poliândricos entre os membros de um clã[20] .

Paulo Nader disserta que apesar prevalecer entre antropólogos e sociólogos, a concepção do matriarcado como sistema social primitivo não possui rigor científico[21]. Entretanto, Engels assevera que há resquícios históricos que atestam a existência do sistema matriarcal, dentre o qual se destacam o respeito e devoção dos povos antigos a figuras femininas. Como exemplo, os povos germanos, consideravam a figura feminina como sagrada, atribuindo a estas dons proféticos, além do fato de que possuíam total aversão à hipótese de ver suas esposas e descendentes cativas ou escravas de seus inimigos, feito este que, para os romanos, acirrava a coragem do

---

18 NADER, Paulo. Curso de direito civil, volume 5: direito de família / Paulo Nader. – 7. ed. – Rio de Janeiro: Forense, 2016. p. 45

19 MICHAELIS, Dicionário Brasileiro da Língua Portuguesa. Disponível em: <http://michaelis.uol.com.br/busca?r=0&f=0&t=0&palavra=familia>.

20 VENOSA, Sílvio de Salvo. op. cit., p. 3

21 NADER, Paulo. op. cit., p. 45

povo germano na batalha[22].

Outro indício da origem da família pelo sistema matriarcal decorre de que, devido à prática de endogamia pelos membros da tribo, apenas a mãe era conhecida pelo descendente, sendo a figura paterna uma incógnita, como apresenta Sílvio de Salvo Venosa:

> No estado primitivo das civilizações o grupo familiar não se assentava em relações individuais. As relações sexuais ocorriam entre todos os membros que integravam a tribo (endogamia). Disso decorria que sempre a mãe era conhecida, mas se desconhecia o pai, o que permite afirmar que a família teve de início um caráter matriarcal, porque a criança ficava sempre junto à mãe, que a alimentava e a educava[23].

No mais, ressalva-se que o sistema matriarcal não era homogêneo em todos os povos, posto que, como já demonstrado, o respeito do povo germano a figura feminina era inexplicável aos romanos[24].

A decadência da poligamia e o estabelecimento da monogamia fez surgir um novo modelo familiar, o patriarcal.

Na Grécia antiga, a organização familiar dava-se por meio do patriarcado, sendo o comando da família entregue ao poder da figura masculina, do varão, do mais forte, que teria como obrigação zelar, proteger e prover o sustento de seu grupo familiar, composta por sua

---

22 ENGELS, Friedrich. op. cit., p. 155
23 VENOSA, Sílvio de Salvo. op. cit., p. 3
24 Ibid., p. 3

prole e pela mulher, esposa[25], apesar de aceita a tese da constituição de relações homoafetivas entre os gregos. A unidade familiar grega era tida como bárbara, tendo em vista as constantes batalhas entre homens, a fim de provar sua supremacia[26]. A família grega formava-se a partir do casamento entre homem e mulher que descendiam de um mesmo ancestral, não havendo a necessidade da geração de filhos e o afeto entre marido e mulher. Os princípios familiares baseavam-se na religião e nos cultos praticados. A crença da vida após a morte sujeitava-se da perpetuidade da espécie, que se dava pelo filho varão[27].

Assim como a família grega, em Roma, o patriarcado consistia na concentração do poder no *paterfamilias,* que detinha a *patria potesta,* como já citado anteriormente[28]. O *paterfamiliais* sempre era representado por uma figura do sexo masculino. A autoridade do *paterfamilias* era desmedida, detendo direito sobre a vida e a morte de seus subordinados[29], isto é, o *Pater* tinha o poder de vender, castigar fisicamente e condenar a morte[30]. Eram submetidos ao poder do *patria potesta* os membros da família (esposa, filhos legítimos e adotados, netos, etc), os bens que lhe pertencem e os escravos[31].

A família romana exprimia-se a uma unidade religiosa,

---

25 NADER, Paulo. op. cit., p. 46

26 MALUF, Adriana Caldas do Rego Freitas Dabus. Novas modalidades de família na pós-modernidade. 2010. Tese (Doutorado em Direito Civil) - Faculdade de Direito, Universidade de São Paulo, São Paulo. p. 28, 156

27 NADER, Paulo. op. cit., p. 46

28 CRETELLA JÚNIOR, José. op. cit., p. 77

29 GAGLIANO, Pablo Stolze; PAMPLONA FILHO, Rodolfo. op. cit.,p. 42

30 GONÇALVES, Carlos Roberto. op. cit., p. 34

31 CRETELLA JÚNIOR, José. op. cit., p. 78

econômica, política, operando o chefe da família como juiz, chefe político, sacerdote e administrador exclusivo do patrimônio familiar. Os patrimônios individuais, só despontaram em um estágio mais desenvolvido do direito romano, em decorrência de necessidades militares. Destaca-se que o patrimônio independente era destinado somente aos filhos homens[32]. Com o falecimento do *paterfamilias,* os filhos homens se tornam *paters* e formam novas famílias. A esposa e as filhas, nunca detinham a *patria potesta*[33].

Com a ascensão do Imperador Constantino, no início do século IV, implantou-se a ideologia cristã no agrupamento familiar romano, outorgando novos moldes ao direito romano. Com base nesses fatos, afastou-se o conceito da multiplicidade de funções da família pagã romana e, se estabeleceu a família cristã, estruturada como célula básica da Igreja Católica, que em determinados casos, confundia-se com o Estado[34]. Manteve-se o patriarcado, contudo, deu-se mais liberdade à esposa e aos filhos, tal como concedendo a administração a estes dos pecúlios de vitórias militares[35].

O direito canônico regeu as relações familiares durante a Idade Média, sobrepujando a concepção cristã de preocupação ao ordenamento moral[36], o qual retirou a função religiosa da família, que realizava rituais presididos pelo *pater,* que como mencionado, exercia o poder de sacerdote na família, passando agora a serem aceitos

---

[32] GONÇALVES, Carlos Roberto. op. cit., p. 34
[33] CRETELLA JÚNIOR, José. op. cit., p. 80
[34] GAGLIANO, Pablo Stolze; PAMPLONA FILHO, Rodolfo. op. cit.,p. 43
[35] GONÇALVES, Carlos Roberto. op. cit., p. 34
[36] GONÇALVES, Carlos Roberto. op. cit., p. 34

somente os rituais religiosos ministrados por apóstolos ou sacerdotes da Igreja[37]. Ademais, a família passou a ser reconhecida unicamente se realizada através de casamento religioso, já que tratava-se de uma união realizada por Deus e, nesse seguimento, a oposição à dissolução do vínculo matrimonial, antes aceitas pelos romanos[38].

A família canônica e o regime patriarcal não suportou a revolução industrial, que compulsou o ingresso da mulher no mercado de trabalha, em decorrência do aumento da necessidade de mão de obra. Assim, com a admissão da mulher nas indústrias, o homem deixou de ser a única origem de subsistência familiar. Dessa forma, a estrutura familiar, sempre centralizada em um indivíduo, independentemente de matriarcado ou patriarcado, sofreu uma enorme mudança, tornando-se nuclear, ou seja, a responsabilidade sobre o patrimônio e a prole, passou a ser do casal[39].

Exoneradas as responsabilidades e funções econômicas e religiosas da família, aflorou-se a afetividade[40], dando origem a família concebida a partir do amor e carinho de seus componentes, sendo o vínculo afetivo, senão o principal, mas um dos mais importantes meios de sustentação da base familiar[41].

A família atual, a chamada família moderna, inicia-se a partir do casamento de membros unidos pelo vínculo de afeto, sendo fundamental à vontade de ambos em estabelecer união, tendo estes

---

37 COELHO, Fábio Ulhoa. op. cit., p. 27
38 GONÇALVES, Carlos Roberto. op. cit., p. 34
39 DIAS, Maria Berenice. op. cit., p. 30
40 COELHO, Fábio Ulhoa. op. cit., p. 32
41 DIAS, Maria Berenice. op. cit., p. 30

direitos e obrigações iguais perante seu cônjuge/companheiro e a seus filhos[42].

Portanto, pode-se concluir que durante toda a existência da humanidade, não houve um modelo exclusivo de família, ficando claro que as formas familiares expostas, foram construídas e estruturadas a partir de reflexos comportamentais, religiosos e políticos que predominaram durante os séculos.

## 1.3 PRINCÍPIOS DO DIREITO DE FAMÍLIA

Demonstrada a importância da família, posto seu papel fundamental, tanto na sociedade de uma forma geral, quanto para o indivíduo[43] e, legitimada como base da sociedade[44], o Código Civil promulgado em 2002, a fim de adequar a legislação à evolução social e as mudanças comportamentais da sociedade[45], em seu Título IV, trouxe artigos dedicados ao Direito de Família. Nas palavras de Sílvio de Salvo Venosa "O direito de família, ramo do direito civil com características peculiares, é integrado pelo conjunto de normas que regulam as relações jurídicas familiares, orientado por elevados

---

[42] NADER, Paulo. op. cit., p. 54

[43] NOVELINO, Marcelo. Direito constitucional / Marcelo Novelino. – 7. ed. rev., atual. e ampl. –São Paulo: Método, 2012. p. 1079

[44] BRASIL, Constituição (1988). Constituição da República Federativa do Brasil. Brasília, DF: Senado Federal, 1988. Disponível em: <http://www.planalto.gov.br/ccivil_03/constituicao/constituicaocompilado.htm>

[45] GONÇALVES, Carlos Roberto. op. cit., p. 26

interesses morais e bem-estar social"[46]. Nesse aspecto, como demais esferas do ordenamento jurídico nacional, o direito de família é norteado por princípios que integram os valores éticos e as necessidades de justiça, proporcionando coerência interna a todo sistema jurídico[47].

Para Pablo Stolze Gagliano e Rodolfo Pamplona Filho, o rol de princípios norteadores do direito de família é imperfeito, vez que coube a doutrina reconhecer e enumerar tais princípios, tendo em vista a não positivação destes pela legislação[48].

Ademais, Maria Berenice Dias dispõe que na legislação nacional existem os princípios constitucionais, que dão base ao ordenamento jurídico brasileiro, sendo os primeiros a serem invocados em qualquer demanda judicial[49]. Os princípios constitucionais podem ser expressos, isto é, dispostos na Constituição Federal, ou implícitos, derivando da análise do sistema constitucional ou da interpretação harmonizadora de normas constitucionais intrínsecas[50]. E existem os princípios gerais de direito, que consistem em preceitos extraídos dos demais textos legais, podendo ser invocados quando identificadas lacunas na legislação[51].

Partindo dessa premissa, podem-se elencar os seguintes

---

46 VENOSA, Sílvio de Salvo. op. cit., p. 10
47 DIAS, Maria Berenice. op. cit., p. 40
48 GAGLIANO, Pablo Stolze; PAMPLONA FILHO, Rodolfo. op. cit.,p. 65
49 DIAS, Maria Berenice. op. cit., p. 39
50 LÔBO, Paulo. Direito civil: famílias / Paulo Lôbo. – 4. ed. – São Paulo: Saraiva, 2011. p. 59
51 DIAS, Maria Berenice. op. cit., p. 39

princípios do direito de família:

### 1.3.1 Princípio da dignidade da pessoa humana

Tido como o valor constitucional supremo[52] e, considerada a maior conquista do Direito brasileiro nos últimos anos[53], o princípio da dignidade da pessoa humana, consubstanciado pelo art. 1º, III da CF/88, é um dos Princípios Fundamentais previstos pela Constituição Federal[54].

O principio da dignidade da pessoa tem como objetivo zelar pela pessoa humana, independentemente de sua sexualidade, raça, origem, idade ou condição social, obstando que esta seja reduzida ao status de simples objeto, utilizada apenas como meio para alcance de determinado fim. O princípio impõe ao Estado o dever de proporcionar os meios necessários para uma vida digna, cabendo a prestação de materiais, tais como saúde, educação, moradia, trabalho, e prestação jurídica, elaborando leis e disponibilizando assistência judiciária[55].

Rodrigo César Rebello Pinho demonstra como deve ser

---

52 NOVELINO, Marcelo. op. cit., p. 375
53 GAGLIANO, Pablo Stolze; PAMPLONA FILHO, Rodolfo. op. cit.,p. 66
54 BRASIL, Constituição (1988). Constituição da República Federativa do Brasil. Brasília, DF: Senado Federal, 1988. Disponível em: <http://www.planalto.gov.br/ccivil_03/constituicao/constituicaocompilado.htm>
55 NOVELINO, Marcelo. op. cit., p. 375-378

entendido o princípio da dignidade da pessoa humana:

> O valor dignidade da pessoa humana deve ser entendido como o absoluto respeito aos direitos fundamentais de todo ser humano, assegurando-se condições dignas de existência para todos.
>
> O ser humano é considerado pelo Estado brasileiro como um fim em si mesmo, jamais como meio para atingir outros objetivos[56].

Outrossim, a dignidade da pessoa humana é tida como fundamento da justiça, liberdade e, consequentemente, da paz mundial[57]. O referido princípio não comporta gradações, isto é, possui caráter absoluto, não possuindo nível hierárquico entre as pessoas e, dessa forma, trata-se de uma qualidade intrínseca, não sendo um direito conferido pelo ordenamento jurídico nacional[58].

Por fim, infringe o princípio da dignidade humana aquele que utiliza o ser humano como meio para atingir algum objetivo[59] e equipara a pessoa a um objeto ou coisa disponível, subjugando-o e sujeitando-o a prática de tortura ou escravidão[60].

---

56 PINHO, Rodrigo César Rebello. Teoria geral da constituição e direitos fundamentais / Rodrigo César Rebello Pinho. – 12. ed. – São Paulo: Saraiva, 2012. p. 175

57 CASADO FILHO, Napoleão. Direitos humanos e fundamentais / Napoleão Casado Filho. – São Paulo: Saraiva, 2012. p. 69

58 NOVELINO, Marcelo. Curso de direito constitucional/ Marcelo Novelino. - 11. ed. rev., ampl. e atual. - Salvador: JusPodivm, 2016. p. 252

59 NOVELINO, Marcelo. op. cit., p. 377

60 LÔBO, Paulo. op. cit., p. 61

### 1.3.2 Princípio da solidariedade familiar

O princípio da solidariedade tem como matriz o artigo 3º, I da Constituição Federal de 1988, que aponta que a República Federativa do Brasil tem como objetivo fundamental a constituição de uma sociedade livre, justa e solidária[61].

O referido princípio, inicialmente, consiste no dever do Estado de priorizar e garantir aos cidadãos em formação, isto é, crianças e adolescentes, direitos inerentes, tais como direito à vida, à educação e à saúde. O princípio também obriga os genitores a propiciar aos filhos os direitos citados, além do dever de amparar os idosos[62].

Gilmar Mendes discorre sobre o princípio da solidariedade familiar:

> princípio da solidariedade, na medida em que abrange um conjunto de ações de iniciativa dos Poderes Públicos e da sociedade, destinadas a assegurar os direitos relativos à saúde, à previdência e à assistência social, com financiamento a cargo de toda a sociedade, mediante recursos orçamentários e contribuições sociais destinados ao custeio de prestações que são devidas não apenas aos segurados,

---

[61] BRASIL, Constituição (1988). Constituição da República Federativa do Brasil. Brasília, DF: Senado Federal, 1988. Disponível em: <http://www.planalto.gov.br/ccivil_03/constituicao/constituicaocompilado.htm>

[62] DIAS, Maria Berenice. op. cit., p. 49

> mas também — na vertente da assistência social — a todos os que delas necessitarem, independentemente de contribuição (CFB, arts. 194, 195 e 203 ), o que, afinal, significa concretizar, nesse específico setor, um dos princípios fundamentais da República Federativa do Brasil — "construir uma sociedade livre, justa e solidária" — enunciado no art. 3 e , I, da Constituição[63].

O referido princípio é aplicado no âmbito das relações familiares, uma vez que a solidariedade além de ser um requisito indispensável para a constituição de relacionamentos pessoais[64] gera aos componentes de um grupo familiar deveres e obrigações recíprocas[65], tais como amparar moralmente e materialmente os integrantes da família[66]. Dentre essas obrigações encontra-se o dever de prover alimentos.

Nesse aspecto, na hipótese da necessidade de prestação de alimentos, seja entre os cônjuges nos termos do art. 1.694 do Código Civil ou na obrigação recíproca de prestar alimentos aos filhos conforme determina o art. 1.696 do mesmo diploma legal, o princípio da solidariedade familiar ampara o pleiteio de alimentos, dado que o

---

63 MENDES, Gilmar Ferreira; COELHO, Inocêncio Mártires; BRANCO, Paulo Gustavo Gonet. Curso de direito constitucional / Gilmar Ferreira Mendes, Inocêncio Mártires Coelho, Paulo Gustavo Gonet Branco. - 4. ed. rev. e atual. - São Patdo: Saraiva, 2009. p. 1418

64 TARTUCE, Flávio. Direito civil, volume 5: direito de família / Flávio Tartuce. – 9. ed. rev., atual. e ampl. – Rio de Janeiro: Forense; São Paulo: MÉTODO, 2014. p.57

65 DIAS, Maria Berenice. op. cit., p. 45

66 GAGLIANO, Pablo Stolze; PAMPLONA FILHO, Rodolfo. op. cit.,p. 82

vínculo familiar foi rompido[67].

Finalmente, destaca-se que o referido princípio não só resguarda a solidariedade patrimonial da família, mas também preserva a solidariedade na esfera afetiva e psicológica[68].

### 1.3.3 Princípio da afetividade

O princípio da afetividade é apontado como o principal fundamento das relações familiares e a diretriz substancial do Direito de Família[69]. O princípio se consolidou em decorrência da evolução e da transformação que as relações familiares vivenciaram nas últimas décadas do século XX. Em decurso dessas mudanças, estabeleceu-se como modelo a atual conjuntura familiar[70].

O vocábulo afeto, no Direito de Família, idealiza o sentimento compartilhado por duas pessoas e que, por consequência, se unem e dão origem a um novo grupo familiar[71].

Apesar do princípio não constar expressamente nos textos legais nacionais, tem-se o principio da afetividade como direito

---

67 TARTUCE, Flávio. op. cit., p. 58-60
68 Ibid., p. 59
69 DIAS, Maria Berenice. op. cit., p. 52
70 LÔBO, Paulo. op. cit., p. 70
71 DIAS, Maria Berenice. op. cit., p. 52

fundamental[72], estando presente de forma implícita na Constituição Federal de 1988, conforme demonstra por Paulo Lôbo:

> O princípio da afetividade está implícito na Constituição. Encontram-se na Constituição fundamentos essenciais do princípio da afetividade, constitutivos dessa aguda evolução social da família brasileira, além dos já referidos: a) todos os filhos são iguais, independentemente de sua origem (art. 227, § 6º); b) a adoção, como escolha afetiva, alçou-se integralmente ao plano da igualdade de direitos (art. 227, §§ 5º e 6º); c) a comunidade formada por qualquer dos pais e seus descendentes, incluindo-se os adotivos, tem a mesma dignidade de família constitucionalmente protegida (art. 226, § 4º); d) a convivência familiar (e não a origem biológica) é prioridade absoluta assegurada à criança e ao adolescente (art. 227)[73].

Nesse sentido, Maria Berenice Dias discorre que o afeto está ligado diretamente ao direito fundamental à felicidade, e dessa forma é protegido pela Constituição de forma latente, tendo como exemplo o reconhecimento da união estável, que consiste na união de duas pessoas pela afetividade, baseado em um modelo igualitário e eudemonista, sem o selo do casamento, como entidade familiar. Outro exemplo é o respeito aos direitos fundamentais de forma igualitária entre irmãos biológicos e adotivos[74].

---

72 TARTUCE, Flávio. op. cit., p. 86
73 LÔBO, Paulo. op. cit., p. 72
74 DIAS, Maria Berenice. op. cit., p. 52

Em outros textos legais, no Código Civil, visualiza-se o princípio da afetividade no artigo 1.584, § 5º:

> Art. 1.584. A guarda, unilateral ou compartilhada, poderá ser:
>
> [...]
>
> § 5º Se o juiz verificar que o filho não deve permanecer sob a guarda do pai ou da mãe, deferirá a guarda a pessoa que revele compatibilidade com a natureza da medida, considerados, de preferência, o grau de parentesco e as relações de afinidade e afetividade[75].

Igualmente, o Estatuto da Criança e do Adolescente observa-se o referido princípio no artigo 28:

> Art. 28. A colocação em família substituta far-se-á mediante guarda, tutela ou adoção, independentemente da situação jurídica da criança ou adolescente, nos termos desta Lei.
>
> [...]
>
> § 3º Na apreciação do pedido levar-se-á em conta o grau de parentesco e a relação de afinidade ou de afetividade, a fim de evitar ou minorar as consequências decorrentes da medida[76].

---

[75] BRASIL, Código Civil (2002). Brasília, DF: Senado Federal, 2002. Disponível em: <http://www.planalto.gov.br/ccivil_03/leis/2002/L10406.htm>.

[76] BRASIL, Lei n. 8.069, de 13 de julho de 1990. Dispõe sobre o Estatuto da Criança e do Adolescente e dá outras providências.Lex:Estatuto da Criança e do

Conclui-se que o afeto trata-se de uma força elementar que estimula todas as relações do Direito de Família[77] e que os laços afetivos originam-se da convivência entre as pessoas[78].

### 1.3.4 Princípio da igualdade

O princípio da igualdade, também nomeado como princípio da isonomia, é consagrado no preâmbulo da Constituição Federal de 1988, em seu artigo 5º, caput:

> Art. 5º Todos são iguais perante a lei, sem distinção de qualquer natureza, garantindo-se aos brasileiros e aos estrangeiros residentes no País a inviolabilidade do direito à vida, à liberdade, à igualdade, à segurança e à propriedade, nos termos seguintes[79].

Juntamente com o princípio da liberdade, o princípio em discussão alceia-se como um dos valores fundamentais do ordenamento jurídico nacional, sendo a impossível sua dissociação do princípio da dignidade humana[80]. O Princípio da igualdade consiste na afirmação, através da Constituição Federal, que todo ser humano é

---

Adolescente. Disponível em: <http:://www.planalto.gov.br/ccivil_03/Leis/L8069.htm>.

77 GAGLIANO, Pablo Stolze; PAMPLONA FILHO, Rodolfo. op. cit.,p. 78

78 DIAS, Maria Berenice. op. cit., p. 53

79 BRASIL, Constituição (1988). Constituição da República Federativa do Brasil. Brasília, DF: Senado Federal, 1988. Disponível em: <http://www.planalto.gov.br/ccivil_03/constituicao/constituicaocompilado.htm>

80 NOVELINO, Marcelo. op. cit., p. 490

igual perante a lei, sem distinção de qualquer natureza, não sendo admitida qualquer forma de discriminação. Tem-se a igualdade como direito individual básico. A igualdade entre homens e mulheres é consagrada pelo inciso I do artigo 5º[81]. Este princípio, por meio do artigo 7º, XXX e XXXI, também veda a distinção de exercícios de funções, salários ou critérios de admissão motivados por idade, sexo, cor, estado civil ou deficiência física. No mais, o art. 3º, IV, estipula que um dos objetivos fundamentais da República Federativa do Brasil é promover o bem de todos, independentemente da origem, cor, sexo, raça, idade e quaisquer outras formas de discriminação, sem preconceitos[82].

Seguindo esse pressuposto, a doutrina estabelece subdivisões aplicáveis do princípio da igualdade ao Direito de Família:

### 1.3.4.1 Princípio da igualdade entre cônjuges e companheiros

Além do artigo 5º, I da Constituição Federal, que afirma a igualdade entre gêneros, a Lei Maior por meio de seu Capítulo VII, destinado à família, consolida a isonomia entre os cônjuges pelo artigo 226, §5º, o qual determina que os direitos e deveres da sociedade conjugal devem ser exercidos de forma igual por ambos os

[81] PINHO, Rodrigo César Rebello. op. cit., p. 230
[82] CASADO FILHO, Napoleão. op. cit., p. 103

cônjuges[83]. Nesse sentido, Carlos Roberto Gonçalves discorre que o referido artigo findou com o poder marital e acabou com a restrição da mulher às tarefas domésticas e à procriação[84].

Outrossim, o artigo 1.511 do Código Civil prediz que o casamento, baseado na igualdade de direitos e deveres dos cônjuges, configura comunhão plena de vida. Evidentemente o princípio também abrange a entidade familiar configurada através da união estável, consignada no art. 226, §3º da Constituição Federal e os artigos presentes do Título III do Código Civil[85].

Reflexo do princípio da igualdade entre cônjuges e companheiros é a possibilidade do marido ou da mulher pleitear alimentos para si, de acordo com o artigo 1.694 e seguintes do Código Civil[86].

### 1.3.4.2 Princípio da igualdade entre filhos

O princípio da igualdade entre filhos tem como objetivo estabelecer a absoluta igualdade entre todos os filhos, independentemente de se tratar de filiação legítima, ilegítima, natural ou adotiva[87]. São protegidos também os filhos havidos por

83 TARTUCE, Flávio. op. cit., p. 63-64
84 GONÇALVES, Carlos Roberto. op. cit., p. 27-28
85 TARTUCE, Flávio. op. cit., p. 63-64
86 Ibid., p. 64
87 GONÇALVES, Carlos Roberto. op. cit., p. 28

inseminação artificial heteróloga, ou seja, originada de material genético de terceiro[88].

O princípio é fundamentado pelo art, 227, §6º da Constituição Federal que dispõe:

> Art. 227. É dever da família, da sociedade e do Estado assegurar à criança, ao adolescente e ao jovem, com absoluta prioridade, o direito à vida, à saúde, à alimentação, à educação, ao lazer, à profissionalização, à cultura, à dignidade, ao respeito, à liberdade e à convivência familiar e comunitária, além de colocá-los a salvo de toda forma de negligência, discriminação, exploração, violência, crueldade e opressão.
>
> [...]
>
> § 6º Os filhos, havidos ou não da relação do casamento, ou por adoção, terão os mesmos direitos e qualificações, proibidas quaisquer designações discriminatórias relativas à filiação[89].

Nesse aspecto, o artigo 1.596 do Código Civil discorre que a filiação havida ou não da relação do casamento, ou por adoção, possuem os mesmos direitos e qualificações, ficando proibidas quaisquer designações discriminatórias[90].

Dessa forma, toda a filiação é igual perante a lei, repercutindo

---

88 TARTUCE, Flávio. op. cit., p. 62

89 BRASIL, Constituição (1988). Constituição da República Federativa do Brasil. Brasília, DF: Senado Federal, 1988. Disponível em: <http://www.planalto.gov.br/ccivil_03/constituicao/constituicaocompilado.htm>

90 BRASIL, Código Civil (2002). Brasília, DF: Senado Federal, 2002. Disponível em: <http://www.planalto.gov.br/ccivil_03/leis/2002/L10406.htm>.

na esfera patrimonial e pessoal[91], não fazendo distinção quanto ao poder familiar, quanto ao nome, alimentos e sucessão. O princípio veda a referência de filiação ilegítima no assento de nascimento[92]. Assim, proibiu-se a discriminação com relação à origem dos filhos, banindo a rotulação da prole pela forma de sua concepção[93].

### 1.3.4.3 Princípio da igualdade da chefia familiar

Flávio Tartuce discorre que o princípio da igualdade da chefia familiar estabeleceu o conceito de família democrática, isto é, uma relação familiar onde ambos os cônjuges, de forma igualitária e justa, exercem a chefia familiar, apreciando, ainda, a opinião da prole. Assim, nesse princípio, a diarquia sobrepõe-se a hierarquia[94].

O doutrinador também afirma que o citado princípio substituiu o conceito de chefia familiar exercida única e exclusivamente pelo homem da casa:

> Assim sendo, pode-se utilizar a expressão despatriarcalização do Direito de Família, eis que a figura paterna não exerce o poder de dominação do passado. O regime é de companheirismo e de cooperação, não de hierarquia, desaparecendo a

91 TARTUCE, Flávio. op. cit., p. 62
92 GONÇALVES, Carlos Roberto. op. cit., p. 28
93 DIAS, Maria Berenice. op. cit., p. 47
94 TARTUCE, Flávio. op. cit., p. 69

> ditatorial figura do pai de família (pater familias), não podendo sequer se utilizar a expressão pátrio poder, substituída por poder familiar[95].

O princípio da igualdade da chefia familiar fundamenta-se no artigo 226, §5º e §7º da Constituição Federal, que discorre que direitos e obrigações que consubstanciam o relacionamento conjugal devem ser exercidos igualmente pelo homem e pela mulher e, que o planejamento familiar é de livre decisão do casal, cabendo ao Estado apenas propiciar recursos para o exercício desse direito[96]. No Código Civil, nota-se presente este princípio no artigo 1.566, que estabelece os deveres de ambos os cônjuges, especialmente nos incisos III e IV, que pronuncia-se sobre a mútua assistência e o dever de guarda, sustento e educação dos filhos. E no artigo 1.631 que diz que compete o poder familiar aos pais durante o casamento e a união estável[97].

Destaca-se que o abuso do exercício da chefia familiar, em decorrência de uma convivência conturbada entre pais e filhos, baseada em um relacionamento violento, agressivo e ditatorial, pode causar a suspensão ou destituição do poder familiar. Igualmente, enfatiza-se que os poderes previstos no inciso IX, do artigo 1.634 do Código Civil, devem ser exercidos com moderação e responsabilidade

---

95 Ibid., p. 69

96 BRASIL, Constituição (1988). Constituição da República Federativa do Brasil. Brasília, DF: Senado Federal, 1988. Disponível em: <http://www.planalto.gov.br/ccivil_03/constituicao/constituicaocompilado.htm>

97 BRASIL, Código Civil (2002). Brasília, DF: Senado Federal, 2002. Disponível em: <http://www.planalto.gov.br/ccivil_03/leis/2002/L10406.htm>.

pela chefia familiar[98].

### 1.3.5 Princípio da liberdade

A fim de que fosse garantido o respeito à dignidade da pessoa humana, o princípio da liberdade, juntamente com o principio da igualdade, foram os primeiros direitos humanos reconhecidos[99].

No entendimento de Paulo Gustavo Gonet Branco, entende-se liberdade como a perspectiva do ser humano em busca da autorrealização, sendo este responsável pela escolha da melhor forma para realizar suas potencialidades[100]. Napoleão Casado Filho define liberdade da seguinte forma:

> Pode-se afirmar que a liberdade é a faculdade que todo indivíduo tem de escolher, sem restrições, fazer ou deixar de fazer alguma coisa, em virtude de sua exclusiva e íntima determinação[101].

Observa-se a importância do princípio uma vez que esse se apresenta logo no preâmbulo da Constituição Federal:

> Nós, representantes do povo brasileiro, reunidos em Assembléia Nacional Constituinte para instituir um

98 TARTUCE, Flávio. op. cit., p. 70
99 DIAS, Maria Berenice. op. cit., p. 46
100 MENDES, Gilmar Ferreira; COELHO, Inocêncio Mártires; BRANCO, Paulo Gustavo Gonet. op. cit., p. 402
101 CASADO FILHO, Napoleão. op. cit., p. 96

> Estado Democrático, destinado a assegurar o exercício dos direitos sociais e individuais, a liberdade, a segurança, o bem-estar, o desenvolvimento, a igualdade e a justiça como valores supremos de uma sociedade fraterna, pluralista e sem preconceitos, fundada na harmonia social e comprometida, na ordem interna e internacional, com a solução pacífica das controvérsias, promulgamos, sob a proteção de Deus, a seguinte CONSTITUIÇÃO DA REPÚBLICA FEDERATIVA DO BRASIL[102].

Nesse sentido, está previsto no já apreciado artigo 3º, inciso I da Constituição Federal, que disserta que a República Federativa do Brasil tem como objetivo fundamental conceber uma sociedade livre. Destaca-se o direito à liberdade no artigo 5º, caput, da Constituição, que garante a todos os brasileiros e estrangeiros residentes no Brasil a inviolabilidade à liberdade.

O princípio da liberdade é aplicado no Direito de Família no aspecto de possibilitar a pessoa o livre planejamento familiar. Assim, cada ser humano, sem restrições, tem a liberdade de escolher o parceiro com que deseja construir uma relação familiar, da mesma forma que tem a liberdade de optar pela extinção da entidade familiar[103]. Outrossim, os companheiros, conjuntamente, nos termos do artigo 1.565, §2º do Código Civil, tem o poder de livre decisão sobre o desenvolvimento familiar, podendo optar pelo regime de

---

102 BRASIL, Constituição (1988). Constituição da República Federativa do Brasil. Brasília, DF: Senado Federal, 1988. Disponível em: <http://www.planalto.gov.br/ccivil_03/constituicao/constituicaocompilado.htm>

103 LÔBO, Paulo. op. cit., p. 69

comunhão de bens e dispõe da liberdade de decidir sobre a aplicação do patrimônio familiar, conforme determinado pelos artigos 1.639, 1.642 e 1.643 do Código Civil, respectivamente. Por fim, os cônjuges podem decidir sobre a orientação religiosa, educacional e cultural de seus filhos[104].

### 1.3.6 Princípio da intervenção mínima do Estado

No seguimento do princípio da liberdade, tem-se o princípio da intervenção mínima do Estado, que discorre que não cabe a este interferir nas relações familiares. Dessa forma, não se admite que o Estado atue da mesma forma que atua nas relações contratuais[105].

Além dos artigos já citados no princípio da liberdade, que dão autonomia de decisão aos membros da entidade familiar, o princípio da intervenção mínima do Estado fundamenta-se no artigo 1.513 do Código Civil que proíbe a intervenção de qualquer pessoa de direito privado ou público, nas relações familiares[106].

No entanto, Pablo Stolze Gagliano e Rodolfo Pamplona Filho destacam que o referido princípio não é absoluto:

---

[104] GONÇALVES, Carlos Roberto. op. cit., p. 29
[105] TARTUCE, Flávio. op. cit., p. 71 et seq.
[106] BRASIL, Código Civil (2002). Brasília, DF: Senado Federal, 2002. Disponível em: <http://www.planalto.gov.br/ccivil_03/leis/2002/L10406.htm>.

> Não se conclua, no entanto, partindo-se desse princípio, que os órgãos públicos, especialmente os vinculados direta ou indiretamente à estrutura do Poder Judiciário, não possam ser chamados a intervir quando houver ameaça ou lesão a interesse jurídico de qualquer dos integrantes da estrutura familiar, ou, até mesmo, da família considerada com um todo. E um exemplo do que se diz é a atuação do Juiz da Infância e da Juventude ou do próprio Juiz da Vara de Família, quando regula aspectos de guarda e direito de visitas, ou, ainda, quando adota uma urgente providência acautelatória de saída de um dos cônjuges do lar conjugal[107].

Conclui-se que o princípio da intervenção mínima do Estado veda qualquer forma de coerção ao Direito de Família pelas instituições pública[108].

### 1.3.7 Princípio da convivência familiar

O princípio da convivência familiar alicerça-se no artigo 227 da Constituição Federal de 1988, que reconhece o direito do convívio familiar à criança ou adolescente. O referido princípio é de extrema importância na atual conjuntura das relações de família, vez que garante a criança ou o adolescente ser criado e educado no seio de

---

[107] GAGLIANO, Pablo Stolze; PAMPLONA FILHO, Rodolfo. op. cit.,p. 91
[108] TARTUCE, Flávio. op. cit., p. 71 et seq.

sua família, conforme determina o artigo 19 do Estatuto da Criança e do Adolescente, e obsta que os filhos sejam tidos como objeto de disputas judiciais entre os pais[109].

O princípio da convivência familiar tem como finalidade evitar o afastamento da prole de sua família natural[110], buscando fortalecer os vínculos familiares, conservando os filhos no íntimo familiar[111].

À luz do artigo 23 do Estatuto da Criança e do Adolescente, o citado princípio também visa assegurar a guarda da prole aos pais, independentemente da falta de recursos econômico. O artigo é dedicado principalmente às entidades familiares de baixo poder aquisitivo[112].

Dessa forma, mesmo quando os pais encontram-se separados, têm os filhos o direito ao convívio com ambos e, nesse sentido, a decisão judicial que restringe direitos do genitor que não é detentor da guarda, trespassa este princípio, conforme demonstra Paulo Lôbo:

> Ainda quando os pais estejam separados, o filho menor tem direito à convivência familiar com cada um, não podendo o guardião impedir o acesso ao outro, com restrições indevidas. Por seu turno, viola esse princípio constitucional a decisão judicial que estabelece limitações desarrazoadas ao direito de visita

109 LÔBO, Paulo. op. cit., p. 74
110 GAGLIANO, Pablo Stolze; PAMPLONA FILHO, Rodolfo. op. cit.,p. 89
111 DIAS, Maria Berenice. op. cit., p. 50
112 GAGLIANO, Pablo Stolze; PAMPLONA FILHO, Rodolfo. op. cit.,p. 89

> do pai não guardião do filho, pois este é titular de direito próprio à convivência familiar com ambos os pais, que não pode restar comprometido[113].

Nesse aspecto, fica clara a enorme importância deste princípio, pois em determinado casos, o genitor que dificulta a relação do filho com o outro genitor, usa de artifícios a fim de denegrir a imagem do ex-cônjuge, o que vem a caracterizar a alienação parental[114], tema principal dessa monografia e que será abordado nos próximos capítulos.

Igualmente, o citado princípio não abrange somente o chamado núcleo familiar, mas também estende-se aos outros membros da entidade familiar com quem a criança ou adolescente conserva vínculos afetivos, tais como irmãos, avós, tios e demais parentes[115].

### 1.3.8 Princípio da proibição de retrocesso social

Consagrados e estabelecidos Direitos pela Constituição Federal, veda-se o retrocesso, ou seja, o princípio discorre que o Direito assegurado anteriormente não poderá ser anulado ou

---

113 LÔBO, Paulo. op. cit., p. 74
114 DIAS, Maria Berenice. op. cit., p. 548
115 GAGLIANO, Pablo Stolze; PAMPLONA FILHO, Rodolfo. op. cit., p. 90

minorado por qualquer lei ulterior[116].

Nessa lógica, o princípio da proibição ao retrocesso social concede a todos aqueles que se beneficiam das diretrizes do Direito de Família e dos Direitos sociais provenientes da Constituição Federal, tais como garantias de igualdade entre os cônjuges e tratamento igualitário dos filhos, independente de sua origem, não ficarão expostos a moderações e limitações impostas por futuras leis[117].

Maria Berenice Dias apresenta que desde o instante em que são garantidos direitos pelo Estado, por meio da Constituição, este assume obrigações positivas e negativas:

> A partir do momento em que o Estado, em sede constitucional, garante direitos sociais, a realização desses direitos não se constitui somente em uma obrigação positiva para a sua satisfação - passa a haver também uma obrigação negativa de não se abster de atuar de modo a assegurar a sua realização. O legislador infraconstitucional precisa ser fiel ao tratamento isonômico assegurado pela Constituição, não podendo estabelecer diferenciações ou revelar preferências. Do mesmo modo, todo e qualquer tratamento discriminatório levado a efeito pelo j udiciário mostra-se flagrantemente inconstitucional[118].

O princípio da proibição ao retrocesso social objetiva

---

116 Ibid., p. 75
117 DIAS, Maria Berenice. op. cit., p. 51
118 Ibid., p. 51

preservar os Direitos adquiridos pelas entidades familiares e, assim, resguardar os demais princípios citados anteriormente.

### 1.3.9 Princípio do pluralismo das entidades familiares

Por fim, tem-se o princípio do pluralismo das entidades familiares, que dispõe sobre a perspectiva da existência de variadas composições de relações familiares. O princípio originou-se a partir da outorga da Constituição Federal em 1988, que deixou de reconhecer como base da sociedade apenas as uniões derivadas exclusivamente do matrimônio[119].

Partindo dessa premissa, são abrangidas pelo Direito de Família as entidades compostas por famílias matrimoniais, monoparentais, pluriparentais, uniões estáveis, entre outras que serão debatidas na secção abaixo.

## 1.4 ESPÉCIES DE ENTIDADES FAMILIARES

A Constituição Federal de 1988, através dos princípios elencados acima e, especialmente pelos princípios da dignidade da

---

119 DIAS, Maria Berenice. op. cit., p. 49

pessoa humana, da afetividade e do pluralismo de entidades familiares, rompeu o paradigma do modelo familiar convencional, isto é, uma relação familiar monogâmica, constituída por um homem e uma mulher unidos pelo matrimônio, com a obrigação de gerar descendentes, seguindo a ideologia da centralização do poder da figura paterna[120]. Os citados princípios que, como já demonstrado, visam priorizar o ser humano como um sujeito de direito, afastando descriminações injustificáveis, advertiram a sociedade sobre a necessidade da Constituição Federal não restringir a entidade familiar apenas às relações estabelecidas por meio do casamento, mas também reconhecer outras espécies de família, de forma que essas tenham seus direitos garantidos pela Lei Maior nacional e demais textos legais[121].

Podem-se verificar as mudanças constitucionais a fim de abranger as novas entidades familiares, no artigo 226, dedicado a família, uma vez que a Carta Magna de 1988 suprimiu de seu texto a expressão "constituída pelo casamento", presente no artigo 167 da Constituição Federal anterior de 1967[122] e no artigo 175 da Emenda Constitucional número 1, de 17 de outubro de 1969[123]. O referido termo foi elidido e simplesmente mantida a sucinta expressão

---

120 MADALENO, Rolf. Curso de direito de família / Rolf Madalena. - 51 ed. rev., atual. e ampl. - Rio de Janeiro: Forense, 2013. p. 5

121 DIAS, Maria Berenice. op. cit., p. 131

122 BRASIL, Constituição (1967). Constituição da República Federativa do Brasil. Brasília, DF: Senado Federal, 1967. Disponível em: < http://www.planalto.gov.br/ccivil_03/constituicao/constituicao67.htm>.

123 BRASIL, Constituição (1967). Emenda Constitucional n.1, de 17 de outubro de 1969. Brasília, 1969. Disponível em <http://www.planalto.gov.br/ccivil_03/constituicao/Emendas/Emc_anterior1988/emc01-69.htm>.

"família", que abrange todas as novas relações familiares da atualidade, independentemente de sua forma de composição[124].

Rolf Madaleno afirma que a Constituição de 1988 deu início a desconstrução do modelo familiar patriarcal, entretanto, a real mudança decorreu da união das pessoas pela afetividade[125]. Como anteriormente aludido na secção sobre o princípio da afetividade, as famílias substituíram o arquétipo original de casamento, sexo e procriação, para a ideologia de comprometimento mútuo e propósitos comuns entre os membros familiares[126].

Nesse sentido, baseado na Constituição e nos princípios que norteiam o Direito de Família, pode-se elencar as seguintes espécies de entidades familiares:

## 1.4.1 Família matrimonial

Por séculos, a Igreja Católica, a fim de limitar a liberdade cultural e sexual, definiu e impôs padrões morais e éticos à sociedade, utilizando o casamento matrimonial como um de seus sacramentos indissolúveis[127]. Dessa forma, durante a maior parte da história, a entidade familiar só era reconhecida se derivada do matrimônio,

---

[124] LÔBO, Paulo. op. cit., p. 83
[125] MADALENO, Rolf. op. cit., p. 5-6
[126] DIAS, Maria Berenice. op. cit., p. 131
[127] Ibid., p. 134

sendo segregada qualquer outra espécie de união[128]. Assim, durante os períodos em que Estado e Igreja Católica exerciam o poder em conjunto, tal como na Constituição de 1891, em que as regras do casamento civil eram estipuladas pelo catolicismo, religião oficial do país à época, tomou-se como sinônimo as expressões casamento e matrimônio e, dessa forma, tinha-se família matrimonial como aquela constituída pela união em seus moldes tradicionais[129], ou seja, homem e mulher com o objetivo de perpetuação da espécie[130], perfazendo sua união sob as bênçãos de Deus, transformando-se em uma só carne e uma só entidade física e espiritual[131].

Como afirma Carlos Roberto Gonçalves, assim como todas as instituições sociais que se modificam com o tempo e com a evolução da sociedade, o entendimento de casamento também foi substituído[132]. Manteve-se o sinônimo casamento e matrimônio, porém o casamento adquiriu o caráter de instituição mais importante do direito privado, constituindo uma das bases da família, tratando-se da combinação do espírito e da matéria de um homem e de uma mulher, que por meio do sentimento de afetividade, de uma integração fisicopsíquica e do companheirismo, desenvolvem sua personalidade e, fazem com o matrimônio seja o pilar do esquema

---

128 MADALENO, Rolf. op. cit., p. 8

129 PEREIRA, Rodrigo da Cunha. Dicionário de direito de família e sucessões: Ilustrado / Rodrigo da Cunha Pereira. - São Paulo: Saraiva, 2015. p. 303

130 DIAS, Maria Berenice. op. cit., p. 134

131 GONÇALVES, Carlos Roberto. op. cit., p. 39 apud PEREIRA, Caio Mário da Silva. Instituições de direito civil. Atualização de Tânia Pereira da Silva. 14. ed. Rio de Janeiro: Forense, 2004, v. 5. p. 51-52.

132 GONÇALVES, Carlos Roberto. op. cit., p. 39

social, cultural e moral da nação[133].

No mais, no aspecto técnico jurídico do Direito de Família, pode-se definir o matrimônio como um negócio jurídico especial[134] constituído por duas pessoas de sexo diferentes, que firmam um contrato formal e solene, estabelecendo direitos e obrigações mútuos, tais como assistência recíproca e sustento, guarda e educação dos filhos[135]. Destaca-se que o casamento trata-se de um negócio jurídico especial, pois possui regras próprias e é norteado, como já visto, por princípios exclusivos ao Direito de Família e, tem como objeto a comunhão plena de vida e não a busca por patrimônio[136].

Quanto à solenidade, a Constituição Federal de 1988 pronuncia-se sobre o casamento em seu artigo 226, estabelecendo no parágrafo primeiro que a celebração do casamento civil é gratuita; estabelece que nos termos da lei, o casamento religioso tem efeito civil, conforme determina o parágrafo segundo; e, no parágrafo sétimo, disserta que o planejamento familiar é de decisão do casal, devendo o Estado apenas proporcionar recursos científicos e educacionais. Além disso, afirma que a família dispõe de especial

---

[133] DINIZ, Maria Helena. Curso de direito civil brasileiro, volume 5: direito de família / Maria Helena Diniz. – 25. ed. – São Paulo: Saraiva, 2010. p. 37-38

[134] TARTUCE, Flávio. Manual de direito civil: volume único / Flávio Tartuce. 5. ed. rev., atual. e ampl. – Rio de Janeiro: Forense; São Paulo: Método, 2015. p. 878-880

[135] PEREIRA, Rodrigo da Cunha. op. cit., 142; BRASIL, Código Civil (2002). Brasília, DF: Senado Federal, 2002. Disponível em: <http://www.planalto.gov.br/ccivil_03/leis/2002/L10406.htm>.

[136] TARTUCE, Flávio. 2015. Manual de direito civil: volume único, cit., p. 879

proteção Estatal, por ser considerada base da sociedade[137].

No âmbito do cível, o Código Civil de 2002 dedica o subtítulo I, do Título I, do Livro IV, que trata sobre os direitos de família, disciplinando o casamento por meio artigo 1.511 ao artigo 1.582, a fim de estabelecer regras, tais como, a capacidade para o casamento (capítulo II), os impedimentos (capítulo III), as causas suspensivas (capítulo IV), o processo de habilitação para o casamento (capítulo V), regula também a forma de celebração do matrimônio (capítulo VI), a invalidade e eficácia do casamento (capítulos VIII e IX) e, a dissolução do vinculo conjugal (capítulo X)[138].

No que diz respeito sobre a ideologia de que matrimônio é indissolúvel, a Lei nº 6.515[139], de 26 de dezembro de 1977, conhecida como Lei do Divórcio, que regula as hipóteses de dissolução do casamento e, posteriormente consolidada no artigo 1.571 ao artigo 1.582 do Código Civil e no artigo 226, §6º da Constituição Federal de 1988, afastou-se o aspecto indissolúvel do casamento.

Por fim, diante de todo o exposto, Sílvio de Salvo Venosa é quem melhor define os moldes atuais da família matrimonial:

---

137 BRASIL, Constituição (1988). Constituição da República Federativa do Brasil. Brasília, DF: Senado Federal, 1988. Disponível em: <http://www.planalto.gov.br/ccivil_03/constituicao/constituicaocompilado.htm>

138 BRASIL, Código Civil (2002). Brasília, DF: Senado Federal, 2002. Disponível em: <http://www.planalto.gov.br/ccivil_03/leis/2002/L10406.htm>.

139 BRASIL, Lei n. 6.515, de 26 de dezembro de 1977. Regula os casos de dissolução da sociedade conjugal e do casamento, seus efeitos e respectivos processos, e dá outras providências. Disponível em: <http://www.planalto.gov.br/ccivil_03/leis/L6515.htm>.

> O casamento é o centro do direito de família. Dele irradiam suas normas fundamentais. Sua importância, como negócio jurídico formal, vai desde as formalidades que antecedem sua celebração, passando pelo ato material de conclusão até os efeitos do negócio que deságuam nas relações entre os cônjuges, os deveres recíprocos, a criação e assistência material e espiritual recíproca e da prole etc[140].

Assim, diante de todo exposto e da definição supra mencionada de Sílvio de Salvo Venosa, pode-se concluir que a família matrimonial na atualidade trata-se de um negócio jurídico solene, uma vez que se vê presente a formalidade desde sua concepção até sua dissolução e que, por consequência, gerará reflexos na criação da prole.

### 1.4.2 União estável

União estável consiste no relacionamento entre duas pessoas, com o objetivo de constituição de família, não havendo a necessidade de os companheiros conviverem no mesmo teto. A União deve ter aparência de casamento, porém, sem a celebração deste, mantendo-se animus de uma união contínua, duradoura e pública, sendo atribuída ao casal a obrigações mútuas, por exemplo, a de lealdade, que faz o

140 VENOSA, Sílvio de Salvo. op. cit., p. 25

paralelo ao dever de fidelidade do casamento[141]. A referida entidade familiar também necessita seguir alguns regramentos estipulados ao matrimônio, tal com na hipótese de presentes os impedimentos previstos no artigo 1.521, não se constituirá a união estável.

Rodrigo da Cunha Pereira define a união estável da seguinte forma:

> É a convivência more uxório, ou melhor, é a relação afetivo-amorosa entre duas pessoas, não-incestuosa, com estabilidade e durabilidade, vivendo sob o mesmo teto ou não, constituindo família sem o vínculo do casamento civil[142].

Alguns doutrinadores denominam a união estável como família informal, vez que diante da impossibilidade do divórcio no ordenamento jurídico nacional, a referida entidade familiar era utilizado como alternativa para quem era impedido de contrair novo matrimônio[143]. Entretanto, esse termo não faz mais sentido, uma vez que, atualmente, além da possibilidade da dissolução do matrimônio através do divórcio, a Constituição de 1988 reconheceu a união estável como entidade familiar em seu artigo 226, §3º:

> Art. 226. A família, base da sociedade, tem especial proteção do Estado.
>
> [...]

141 MALUF, Adriana Caldas do Rego Freitas Dabus. op. cit., p. 128
142 PEREIRA, Rodrigo da Cunha. op. cit., p. 698
143 MADALENO, Rolf. op. cit., p. 8

> § 3º Para efeito da proteção do Estado, é reconhecida a união estável entre o homem e a mulher como entidade familiar, devendo a lei facilitar sua conversão em casamento[144].

Nesse sentido, assim como no matrimônio, a união estável é disciplinada no título III do livro IV do Código Civil de 2002.

Enfim, observa-se a importância da união estável, uma vez que o Supremo Tribunal Federal (STF), em 10 de maio de 2017, afastou a diferenciação entre cônjuge e companheiro para fins sucessórios, através de decisões, com repercussão geral reconhecida, proferidas no julgamento dos Recursos Extraordinários (REs) 646721[145] e 878694[146].

### 1.4.3 Família homoafetiva

Amparado pelo princípio da dignidade da pessoa humana que é consagrada pelo inciso III, do artigo 1º da Constituição Federal de

---

144 BRASIL, Constituição (1988). Constituição da República Federativa do Brasil. Brasília, DF: Senado Federal, 1988. Disponível em: <http://www.planalto.gov.br/ccivil_03/constituicao/constituicaocompilado.htm>

145 BRASIL, Supremo Tribunal Federal. Recurso Extraordinário 646721. Relator Marco Aurélio, Brasília, DF, 10 de maio de 2017. Disponível em: <http://www.stf.jus.br/portal/processo/verProcessoAndamento.asp?numero=646721&classe=RE&origem=AP&recurso=0&tipoJulgamento=M>

146 BRASIL, Supremo Tribunal Federal. Recurso Extraordinário 878694. Relator Roberto Barroso, Brasília, DF, 10 de maio de 2017. Disponível em: < http://www.stf.jus.br/portal/processo/verProcessoAndamento.asp?numero=878694&classe=RE&origem=AP&recurso=0&tipoJulgamento=M>

1988, o Supremo Tribunal Federal reconheceu as entidades familiares compostas por pessoas do mesmo sexo, dessa forma, afastando o preconceito e discriminação contra casais homossexuais. A admissão ocorreu após julgamento da Arguição de Descumprimento de Preceito Fundamental (ADPF) 132/08 e a Ação Direta de Inconstitucionalidade (ADI) 4277/09, em 05 de maio de 2011[147].

As referidas decisões possibilitaram a conversão da união homoafetiva em casamento. Assim, a união homoafetiva em nada se difere do casamento e da união estável heterossexual, cabendo os mesmos direitos e deveres, tal como os direitos sucessórios, o qual é destacado por Maria Berenice Dias:

> Assim, descabe estigmatizar a orientação homossexual de alguém, já que negar a realidade não soluciona as questões que emergem quando do rompimento dessas uniões. Não há como chancelar o enriquecimento injustificado e deferir, por exemplo , no caso de morte elo parceiro, a herança aos familiares, em detrimento de quem dedicou a vida ao companheiro , ajudou a amealhar patrimônio e se vê sozinho e sem nada[148].

De tal modo, Paulo Nader conclui que, o Judiciário nacional, no julgamento das citadas ADPF e ADI, propiciou um grande avanço institucional no âmbito do Direito de Família brasileiro e consequentemente no aspecto do respeito da dignidade do ser

---

147 NADER, Paulo. op. cit., p. 812
148 DIAS, Maria Berenice. op. cit., p. 137

humano[149].

### 1.4.4 Família monoparental

Família monoparental é a relação familiar composta apenas por um dos genitores e sua prole. A referida entidade familiar pode originar-se da dissolução de uma relação familiar bilateral, seja pelo falecimento de um dos pais ou decorrente do divórcio, separação de fato, dos cônjuges e companheiros. Outra hipótese de constituição da família monoparental são aquelas que decorrem das chamadas produções independentes ou celibatárias, que consistem em um homem ou uma mulher que almejam um filho, independentemente de estar em um relacionamento e, dessa forma, buscam alternativas, tais como a adoção ou inseminação artificial, a fim de constituir uma família monoparental[150].

Destaca-se que a família monoparental não é regrada por nenhuma lei específica, sujeitando-se às mesmas diretrizes previstas na Constituição e no Código Civil ao casamento e à união estável[151].

---

149 NADER, Paulo. op. cit., p. 812

150 PEREIRA, Rodrigo da Cunha. op. cit., 303; BAPTISTA, Sílvio Neves. Manual de direito de família / Sílvio Neves Baptista. – 2. ed. rev. e ampl – Recife: Bagaço, 2010. p. 88

151 LÔBO, Paulo. op. cit., p. 89

### 1.4.5 Família anaparental

A entidade familiar que consiste no convívio de pessoas, estando ausentes as figuras paternas, isto é, pai e mãe, são as famílias denominadas anaparentais[152].

O estabelecimento da família anaparental como entidade familiar é de enorme importância no âmbito da caracterização do bem de família e no âmbito de direito de sucessório[153]. Temos como exemplo clássico a de duas irmãs, que ao se tornarem viúvas, passam a compartilhar a mesma casa e começam a construir um novo patrimônio juntas, dessa forma, configurada a comunhão de esforços entre as partes, independentemente de qualquer intenção de procriação entre essas. No caso do falecimento de uma das irmãs, no entendimento de Maria Berenice Dias, seria injusto ocorrer à divisão do patrimônio entre outros herdeiros colaterais.

Assim, através da configuração da família anaparental, por conformidade, caberia à aplicação do direito de sucessão que rege as demais entidades familiares, tais como a união estável e a união matrimonial[154].

### 1.4.6 Família pluriparental

---

152 TARTUCE, Flávio. Direito civil, volume 5: direito de família, cit., p. 114
153 PEREIRA, Rodrigo da Cunha. op. cit., p. 290
154 DIAS, Maria Berenice. op. cit., p. 140

Em contrapartida à família anaparental, temos a chamada família pluriparental ou multiparental, que consiste na entidade familiar composta por diversas figuras paternas e maternas[155], ou seja, trata-se das famílias em que o poder parental é exercido por uma pessoa que não possui vínculo sanguíneo com a criança, por exemplo, padrastos e madrastas[156].

A referida entidade familiar é cada vez mais constante na esfera jurídica nacional, vez que, segundo pesquisa realizada pelo Instituto Brasileiro de Geografia e Estatística (IBGE), no período de 10 anos entre 2004 a 2014, registrou-se um aumento de 161,4% de divórcios no Brasil[157]. De tal modo, dessas dissoluções familiares, originam-se às famílias com pessoas advindas de casamentos ou uniões anteriores, que trazem para o novo núcleo familiar seus filhos unilaterais e, assim, constituindo a família pluriparental[158].

### 1.4.7 Família poliafetiva

Também chamada de família poliamorosa, a família

155 PEREIRA, Rodrigo da Cunha. op. cit., p. 470-471

156 Ibid., p. 307

157 PORTAL BRASIL. Em 10 anos, taxa de divórcios cresce mais de 160% no País. Disponível em: <http://www.brasil.gov.br/cidadania-e-justica/2015/11/em-10-anos-taxa-de-divorcios-cresce-mais-de-160-no-pais>.

158 DIAS, Maria Berenice. op. cit., p. 141

poliafetiva trata-se do núcleo familiar que sobrepuja a monogamia, permitindo a seus componentes manterem relacionamentos simultâneos com terceiros, porém todos convivendo sob o mesmo teto[159]. A referida entidade familiar se alicerça no respeito e no princípio da afetividade[160].

A família poliafetiva sofre grande rejeição no âmbito religioso e de ordem moral, nos quais os defensores desses âmbitos buscam justificativas a fim de refutar efeitos jurídicos a entidade familiar. Os objetores utilizam como principal argumento a afronta ao dever de fidelidade, previsto no artigo 1.566, I do Código Civil.

Em contrapartida, os que defendem a família poliamorosa sustentam que nessa espécie de entidade familiar, o adultério não se caracteriza, destarte, não afrontando o dever de fidelidade, vez que a maneira de relacionamento adotada trata-se de uma manifestação de vontade firmada livremente e consensualmente por seus integrantes e, dessa forma, sendo injustificável privar as pessoas que decidem assumir essa identidade familiar de direitos dedicados à família, tais como, direito sucessório e de alimentos[161].

### 1.4.8 Família eudemonista

159 PEREIRA, Rodrigo da Cunha. op. cit., p. 312
160 MADALENO, Rolf. op. cit., p. 25
161 DIAS, Maria Berenice. op. cit., p. 139

A família eudemonista não se trata propriamente de uma forma de entidade familiar, mas sim, refere-se a uma ideologia adotada pelos componentes dos atuais modelos familiares. Assim, tem-se a família eudemonista como o núcleo familiar que busca, por meio do envolvimento afetivo, de valores morais e razões de conduta, a felicidade individual de todos os integrantes da relação familiar. Ademais, uma família pode se enquadrar como família eudemonista e como uma das demais espécies de família já estudadas, por exemplo, um casal de pessoas do mesmo sexo pode figurar como família homoafetiva ao mesmo tempo em que se caracteriza como família eudemonista[162].

A família eudemonista se consolidou a partir da promulgação da Constituição Federal de 1988, na qual, através dos princípios que regem o direito de família, prevalece a afetividade e a busca da felicidade como base das uniões familiares[163]. Segundo Rodrigo da Cunha Pereira, a decadência da família patriarcal e a ascensão e o fortalecimento da sociedade consumista, fomentaram a descaracterização da família como centro financeiro e de reprodução e, consequentemente, despertou o sentimento de busca pela felicidade, que é o principal conceito da família eudemonista[164].

Nesse sentido, Maria Berenice Dias enaltece os sentimentos que norteiam a espécie de família em debate e a conceitua:

---

162 Ibid., p. 143

163 MADALENO, Rolf. op. cit., p. 27

164 PEREIRA, Rodrigo da Cunha. op. cit., p. 296

> A busca da felicidade, a supremacia do amor, a vitória da solidariedade ensejam o reconhecimento do afeto como único modo eficaz de definição da família e de preservação da vida. São as relações afetivas o elemento constitutivo dos vínculos interpessoais. A possibilidade de buscar formas de realização pessoal e gratificação profissional é a maneira de as pessoas se converterem em seres socialmente úteis. Para essa nova tendência de identificar a família pelo seu envolvimento afetivo surgiu um novo nome: família eudemonista , que busca a felicidade individual vivendo um processo de emancipação de seus membros[165].

Conclui-se que a família eudemonista refere-se ao núcleo familiar que, independentemente de sua composição, prevalece acima de tudo à concepção da procura do bem-estar social de seus componentes.

### 1.4.9 Família substituta

Por fim, tem-se a família substituta, que trata-se do termo utilizado pelo ordenamento jurídico nacional para representar as entidades familiares que acolhem membros de outros núcleos familiares de composição biológica diferente, em suma maioria crianças e adolescentes. O vocábulo foi introduzido no direito

---

165 DIAS, Maria Berenice. op. cit., p. 143

brasileiro pelo artigo de 19 do Estatuto da Criança e do Adolescente (ECA).

Apesar de inserida no ordenamento jurídico pelo ECA, este não faz uma conceituação do que se refere a família substituta. Assim, há uma inclinação a conceituar a referida espécie familiar como as famílias cadastradas no programa de adoção, como expõe Maria Berenice Dias:

> O Estatuto da Criança e do Adolescente não define o que seja família substituta (ECA 28), mas a tendência é assim definir as famílias que estão cadastradas à adoção. São convocadas segundo o perfil que elegeram. Recebem a criança ou o adolescente mediante guarda, firmando o devido compromisso (ECA 32)[166].

A composição da família substituta se inicia a partir do momento em que uma família biológica adota ou obtêm a guarda e tutela de uma criança ou adolescente que tenham sido abandonadas ou mesmo desamparadas, moral e materialmente, por parte de seus pais ou guardiões naturais. Nota-se que a intenção do legislador, através do artigo 19 e seguintes do ECA, foi a de suprimir os males pelo qual o menor, que se encontra nessa situação, vem sido acometido[167].

Tendo em vista que o afastamento da criança ou adolescente

---

166 DIAS, Maria Berenice. op. cit., p. 143

167 FARIAS, Cristiano Chaves de; ROSENVALD, Nelson. Curso de direito civil: famílias, volume 6 / Cristiano Chaves de Farias; Nelson Rosenvald. – 7. ed. rev. ampl. e atual. – São Paulo: Atlas, 2015. p. 129

de sua família biológica trata-se de uma medida delicada, a colocação em família substituta, mesmo que momentaneamente, só ocorrerá quando restar demonstrado que é impossível à manutenção do menor em sua família natural[168].

Outrossim, é importante a análise da família substituta para o tema principal em debate, posto que, além do desamparo moral e material e do abandono, hipóteses já citadas, a configuração da alienação parental pode acarretar na retirada do infante de seu núcleo familiar biológico, uma vez que diagnosticada a alienação[169].

Destaca-se que, conforme disposto no artigo 19, §3º do ECA, dá-se preferência pela reintrodução da criança ou adolescente em sua família biológica, sendo a adoção por família substituta tida como última hipótese[170]. No mais, também priorizasse a colocação do menor em família de linha de parentesco e considerasse a afetividade e relacionamento que a criança possui previamente com esse referido núcleo familiar substituto[171].

As crianças ou adolescentes colocadas em família substituta, lá continuam até a finalização do processo de destituição do poder familiar ou até findada as tentativas de reinserção do infante em sua família biológica. Esgotadas essas possibilidades, inicia-se o processo de adoção[172].

---

168 MADALENO, Rolf. op. cit., p. 633
169 DIAS, Maria Berenice. op. cit., p. 548
170 Ibid., p. 143
171 MADALENO, Rolf. op. cit., p. 634
172 DIAS, Maria Berenice. op. cit., p. 143

## 1.5 DISSOLUÇÃO DA FAMÍLIA

Demonstrada as formas de constituição das relações familiares e suas espécies, deve-se agora demonstrar a forma pela qual a família se dissolve.

Primeiramente deve-se destacar que não se trata da destituição da família propriamente dita, vez que os componentes dessa sempre serão do mesmo núcleo familiar, seja pelo vínculo sanguíneo ou pela relação de afetividade. Assim, a dissolução se trata do vinculo e da sociedade conjugal[173].

Rodrigo da Cunha Pereira define a dissolução casamento e da união estável da seguinte forma:

> Do latim dissolutio, desligar, separar. E a extinção do casamento, da sociedade conjugal, que se opera pela marte de um dos cônjuges, nulidade/anulação e divórcio.
>
> [...]
>
> Se decorrente da união estável, embora nao seja obrigatório, mas conveniente, pode ser dissolvido por

---

173 GONÇALVES, Carlos Roberto. op. cit., p. 181

> escritura pública, escrito particular entre as partes ou homologação judicial[174].

Conceituada a dissolução, o referido tema esta previsto no Livro IV, Titulo I, Subtítulo I, Capítulo X do Código Civil de 2002, que trata das formas de dissolução da sociedade e do vínculo conjugal. Nesse aspecto, no que se refere as formas de dissolução do núcleo familiar, o Código Civil é taxativo, estando as formas de dissolução previstas no artigo 1.571 do referido dispositivo legal:

> Art. 1.571. A sociedade conjugal termina:
>
> I - pela morte de um dos cônjuges;
>
> II - pela nulidade ou anulação do casamento;
>
> III - pela separação judicial;
>
> IV - pelo divórcio[175].

Conforme disposto no referido artigo, uma das formas de dissolução da família se dá pela morte de um dos cônjuges. Com o perecimento de um dos componentes do casal, o cônjuge sobrevivente passa a ter o estado civil de viuvez, cabendo a esta o direito de herdar os bens do falecido em concorrência com descendentes ou ascendes, se existentes. Cabe salientar que o parágrafo primeiro do citado artigo prediz que a morte presumida também dissolve o casamento, ou seja, a fim da união ocorre com a morte real de um dos cônjuges, provada mediante certidão de assento

---

174 PEREIRA, Rodrigo da Cunha. op. cit., p. 244

175 BRASIL, Código Civil (2002). Brasília, DF: Senado Federal, 2002. Disponível em: <http://www.planalto.gov.br/ccivil_03/leis/2002/L10406.htm>.

de óbito, ou com a morte presumida por ausência nos termos do artigo 6º do Código Civil e presumida sem decretação de ausência conforme disposto no artigo 7º do mesmo texto legal[176].

A dissolução da sociedade conjugal pela nulidade e anulação do casamento, previstas no inciso II do referido artigo, ocorre quando estão presentes os requisitos conjecturados no capítulo VIII, do Livro IV, Titulo I, Subtítulo I, que dispõe sobre a invalidade do casamento, dentre as quais pode-se citar a nulidade por infringência de impedimento (art. 1.548, II do Código Civil) e a anulação por casamento contraído por menor em idade núbil sem autorização por representante legal (art. 1.550, II, do CC)[177].

Quanto à pelas formas previstas nos incisos III e IV, notadamente, separação judicial e divórcio, inicialmente necessita-se de uma breve síntese histórica. Como previamente demonstrado, a dissolução do matrimônio trata-se de uma regulamentação relativamente nova na legislação nacional, considerando que a Lei nº 6.515, chamada Lei do Divórcio, que possibilitou aos cônjuges se separarem legalmente e que constituíssem nova família, só foi promulgada em 1977, isto é, 87 anos após o decreto 181 de 24 de maio de 1890, primeira legislação nacional que regulamentou o casamento[178].

Fato é que a dissolução do matrimônio e consequentemente a

---

176 DINIZ, Maria Helena. op. cit. p. 251. BRASIL, Código Civil (2002). Brasília, DF: Senado Federal, 2002. Disponível em: <http://www.planalto.gov.br/ccivil_03/leis/2002/L10406.htm>.
177 COELHO, Fábio Ulhoa. op. cit., p. 133-141
178 GONÇALVES, Carlos Roberto. op. cit., p. 184

extinção da relação conjugal, sofreu enorme resistência política e jurídica. A principal razão desta resistência adveio da influência da Igreja Católica que, como já demonstrado, em diferentes países do mundo e, nesse caso, especialmente, no Brasil, por diversos momentos da história, governo e igreja confundiam-se[179]. Nesse sentido, diante do poder e intervenção do catolicismo e em conjunto com o conservadorismo da sociedade à época, o Código Civil de 1916 estabeleceu que o matrimônio fosse indissolúvel e que o rompimento da relação familiar de cônjuges vivos só ocorreria mediante desquite[180]:

> Art. 315. A sociedade conjugal termina:
>
> I. Pela morte de um dos cônjuges.
>
> II. Pela nulidade ou anulação do casamento.
>
> III. Pelo desquite, amigável ou judicial.
>
> Parágrafo único. O casamento valido só se dissolve pela morte de um dos conjugues, não se lhe aplicando a preempção estabelecida neste Código, art. 10, Segunda parte[181].

Assim, o cônjuge separado poderia constituir novo vínculo, entretanto, este não seria reconhecido, sendo considerado como concubinato e sujeitando-se a restrição de quaisquer benefícios

---

179 GAGLIANO, Pablo Stolze; PAMPLONA FILHO, Rodolfo. op. cit.,p. 43, 462
180 DIAS, Maria Berenice. op. cit., p. 202
181 BRASIL, Código Civil (1916). Rio de Janeiro, DF: Senado Federal, 1916. Disponível em: <http://www.planalto.gov.br/ccivil_03/leis/L3071.htm >.

previstos na legislação[182].

Em 28 de junho de 1977, foi aprovada a Emenda Constitucional nº 9, que elidiu da Constituição Federal de 1969 o princípio da indissolubilidade do casamento. A já citada Lei nº 6.515, popularmente conhecida como Lei do Divórcio, substituiu o parágrafo primeiro do artigo 175 da Constituição de 1969, que dizia que o casamento era indissolúvel, por nova redação estabelecendo que o casamento poderia ser dissolvido mediante o requisito de prévia separação judicial pelo período de três anos[183]. Segundo Rodrigo da Cunha Pereira a separação judicial, que podia ser consensual ou litigiosa, foi imposta na legislação nacional por exigência da Igreja Católica, tendo a intenção de, às vistas da lei, finalizar a sociedade conjugal, porém não dissolvendo o casamento. Nesse sentido, Rodrigo da Cunha Pereira sustenta que o verdadeiro propósito da separação judicial era manter os cônjuges em um limbo:

> Portanto, separação judicial é como um purgatório, um limbo entre o casamento e o divórcio: não é necessário permanecer no casamento, mas também não se pode casar novamente[184].

A atual Constituição Federal, em seu texto original promulgado em 1988, reduziu o prazo da separação judicial para um ano e possibilitou o divórcio direto mediante comprovação de separação de fato dos cônjuges pelo prazo de dois anos. Tais

---

182 DIAS, Maria Berenice. op. cit., p. 202

183 GONÇALVES, Carlos Roberto. op. cit., p. 184

184 PEREIRA, Rodrigo da Cunha. op. cit., p. 637-638

alterações estavam presentes no §6º do artigo 226 da Constituição Federal[185].

Os requisitos da separação judicial e da separação de fato foram extintos do ordenamento jurídico nacional pela Emenda Constitucional nº 66, instituída em 13 de julho de 2010, que deu nova redação ao artigo 226, §6º da Constituição de 1988, estabelecendo que o matrimônio pode ser dissolvido pelo divórcio, sendo este de forma direta e sem previsão dos requisitos anteriormente citados[186].

No que tange a dissolução da união estável, essa finda-se pela morte de um dos companheiros e quando rompe-se o relacionamento, sendo apropriado que o fim da união seja formalizada, por meio de documento particular, escritura pública ou homologação de acordo judicial, quando a união se dissolve consensualmente, ou nos casos de dissolução litigiosa, somente por via judicial. Reforça-se que a formalização não é obrigatória, entretanto, é aconselhável, a fim de proporcionar as partes maior segurança jurídica[187].

Por fim, atualmente, o casal pode se conciliar e dissolver o vínculo conjugal de forma simples e relativamente rápida, não havendo a necessidade de litigar na justiça. Dessa forma, cada parte pode dar continuidade à sua vida, tendo a possibilidade de constituir um novo relacionamento e, consequentemente, uma nova família.

---

185 GONÇALVES, Carlos Roberto. op. cit., p. 184
186 DIAS, Maria Berenice. op. cit., p. 206
187 PEREIRA, Rodrigo da Cunha. op. cit., p. 243

# CAPÍTULO II
# PODER FAMILIAR

## 2.1 CONCEITO

No que tange a família, além da constituição de uma relação entre os cônjuges na esfera sentimental, afetiva e material, uma das consequências mais comuns da constituição de uma família trata-se dos filhos.

As famílias, independentemente de sua configuração, conforme demonstrado no capítulo anterior, vez que engajadas na ideologia de constituir uma família justa, solidária, na qual os sentimentos de afeição e fraternidade prevalecem, devem proporcionar a sua prole, de forma consensual, toda orientação necessária e suprimir toda e qualquer necessidade que venha a decair sobre seu filho[188].

Destaca-se, porém que, esse dever de proteção dos pais quanto a sua prole não se trata de um dever apenas moral, mais sim de um direito legal consolidado pela Constituição Federal em seu artigo 229: "Art. 229. Os pais têm o dever de assistir, criar e educar os filhos menores, e os filhos maiores têm o dever de ajudar e amparar os pais na velhice, carência ou enfermidade[189]".

Assim, fica claro que o legislador ao elaborar o referido texto legal teve a intenção de atribuir aos pais, de forma específica, o dever de criar, apoiar, assistir, educar e criar seus filhos menores[190]. Esse dever imposto pela Constituição Federal é chamado de poder familiar, que se vê presente no Capítulo V, Subtítulo II do Título I do Livro IV do Código Civil e em diversos artigos do Estatuto da Criança e do Adolescente (ECA).

Antes de conceituar e se aprofundar no tema de poder familiar, vê-se indispensável, de forma sucinta, um relato da evolução histórica sobre o tema.

Há registros da presença do poder familiar no Direito Romano, o qual era chamado de *pater famílias*[191] ou *pátria potesta*[192].

---

188 NADER, Paulo. Curso de direito civil, volume 5: direito de família / Paulo Nader. – 7. ed. – Rio de Janeiro: Forense, 2016. p. 553

189 BRASIL, Constituição (1988). Constituição da República Federativa do Brasil. Brasília, DF: Senado Federal, 1988. Disponível em: <http://www.planalto.gov.br/ccivil_03/constituicao/constituicaocompilado.htm>

190 NADER, Paulo. op. cit., p. 554

191 PEREIRA, Rodrigo da Cunha. Dicionário de direito de família e sucessões: Ilustrado / Rodrigo da Cunha Pereira. - São Paulo: Saraiva, 2015. p. 540

Entretanto, poder familiar e *pater família* se assemelham somente no que compete as suas concepções, isto é, os dois seguimentos identificam-se apenas no efeito de zelo à família, porém, seu titular de exercício e sua forma de aplicação divergem dos moldes atuais.

A poder familiar nos padrões recentes, versa de um direito exercido de forma democrática entre o casal, podendo os cônjuges, de forma conjunta, tomarem decisões sobre a vida dos filhos, respeitando os interesses deste[193]. Em contrapartida, a autoridade do *pater famílias* atingia não somente a prole, mas tudo da esfera familiar, ou seja, esposa, empregados, escravos etc. Todo esse poder era concentrado no pai, que era o chefe de família, e que exercia esse comando visando apenas seus interesses pessoais. Dessa forma, o chefe de família tinha o direito de castigar, matar os filhos, ou para suprir necessidades financeiras, podia vende-los ou entregá-los como pagamento a título indenizatório. Tais poderes só vieram a ser limitados com a ascensão do cristianismo em Roma, o qual proibiu-se a morte e a venda da criança[194].

Nesse seguimento, o Brasil durante seu período colonial, no qual era ordenado sobre as leis do Reino de Portugal, adotava a mesma ideologia do direito romano, com exceção sobre o direito de

---

192 GONÇALVES, Carlos Roberto. Direito civil brasileiro, volume 6: direito de família / Carlos Roberto Gonçalves. – 9. ed. – São Paulo : Saraiva, 2012. p. 360

193 TARTUCE, Flávio. Direito civil, volume 5: direito de família / Flávio Tartuce. – 9. ed. rev., atual. e ampl. – Rio de Janeiro: Forense; São Paulo: Método, 2014. p. 941-942. DIAS, Maria Berenice. Manual de direito das famílias I / Maria Berenice Dias. – 10. ed. rev., atual. e ampl. – São Paulo: Revista dos Tribunais, 2015. p. 461

194 PEREIRA, Rodrigo da Cunha. op. cit., p. 540. GONÇALVES, Carlos Roberto. op. cit., 360

castigar de forma física o seu filho. Contudo, o chefe de família tinha poderes praticamente absolutos sobre os membros de sua relação familiar[195]. Tamanho era o domínio do pai sobre seus filhos, que este poderia, junto ao Juiz dos Órfãos, requerer autorização para a detenção do filho, por um período de até quatro meses, em uma casa de correção, não cabendo recurso. Outro fato que comprova que o poder familiar era exercido única e exclusivamente pelo pai, trata-se do fato de que este direito recebia a denominação de pátrio poder pelo Código Civil de 1916[196].

Dado o devido embasamento histórico ao poder familiar, deve-se agora conceituar o tema nos moldes da atual conjuntura da sociedade brasileira.

Nas palavras de Carlos Roberto Gonçalves, poder familiar é conceituado da seguinte forma: "Poder familiar é o conjunto de direitos e deveres atribuídos aos pais, no tocante à pessoa e aos bens dos filhos menores[197]".

Pablo Stolze Gagliano e Rodolfo Pamplona Filho definem o referido tema nos seguintes termos: "podemos conceituar o *poder familiar* como o plexo de direitos e obrigações reconhecidos aos pais, em razão e nos limites da autoridade parental que exercem em face

---

195 MADALENO, Rolf. Curso de direito de família / Rolf Madalena. - 51 ed. rev., atual. e ampl. - Rio de Janeiro: Forense, 2013. p. 676

196 PEREIRA, Rodrigo da Cunha. op. cit., p. 540

197 GONÇALVES, Carlos Roberto. op. cit., 360

dos seus filhos, enquanto menores incapazes[198]".

O conceito de poder familiar por Flávio Tartuce é discorrido da seguinte maneira: "conceituado como sendo o poder exercido pelos pais em relação aos filhos, dentro da ideia de família democrática, do regime de colaboração familiar e de relações baseadas, sobretudo, no afeto[199]".

Rodrigo da Cunha Pereira conceitua o poder familiar nos seguintes moldes:

> É a expressão introduzida pelo CCB de 2002 em substituição à expressão pátrio poder, utilizada pelo CCB de 1916. É o conjunto de deveres/direitos dos pais em relação aos seus filhos menores. É uma atribuição natural a ambos os pais, independentemente de relação conjugal, para criar, educar, proteger, cuidar, colocar limites, enfim dar-lhes o suporte necessário para sua formação moral, psíquica para que adquiram responsabilidade e autonomia[200].

Deste modo, a doutrina é enfática ao conceituar o poder familiar como o conjunto de obrigações que os pais tem perante aos seus filhos, cabendo-lhes o poder de tomar decisões por seus filhos, avaliando o que será melhor para o futuro da criança, adquirindo o

---

198 GAGLIANO, Pablo Stolze; FILHO, Rodolfo Pamplona. Novo curso de direito civil, volume 6 : Direito de família — As famílias em perspectiva constitucional / Pablo Stolze Gagliano, Rodolfo Pamplona Filho. – 2. ed. rev., atual. e ampl. – São Paulo: Saraiva, 2012. p. 520

199 TARTUCE, Flávio. op. cit., 941-942

200 PEREIRA, Rodrigo da Cunha. op. cit., p. 539

instituto de um direito eminentemente protetivo[201].

Por fim, Rodrigo da Cunha Pereira afirma que apesar da alteração da terminologia para poder familiar em substituição a pátrio poder ou poder parental, este ainda não é o termo mais correto para o referido direito, tendo em vista que a palavra poder transmite a acepção de posse, indo de contrapartida ao real interesse do direito, que é satisfazer o princípio do melhor interesse do menor[202] e, no cenário atual da sociedade brasileira, o poder familiar outorga mais obrigações do que direitos aos pais[203]. Nessa continuidade, Rodrigo da Cunha Pereira sustenta que a melhor terminologia seria autoridade parental:

> A expressão mais adequada para a família atual, que é fundada na igualdade de gêneros e é democrática, seria autoridade parental, a qual exterioriza a ideia de compromisso de ambos os pais com as necessidades dos filhos, de cuidar, proteger, educar, dar assistência e colocar limites[204].

Isto posto, pode-se concluir que assim como o conceito de família passou por transformações com o passar dos anos, o poder familiar que se originou do poder exercido pelo pai, chefe de família, sob seu grupo de relação familiar, hoje em dia possui caráter de justiça entre seus membros, sendo sua autoridade dividida entre os cônjuges, pais da criança e, prevalecendo a ideologia do melhor

---

[201] GONÇALVES, Carlos Roberto. op. cit., 360
[202] PEREIRA, Rodrigo da Cunha. op. cit., p. 540
[203] GONÇALVES, Carlos Roberto. op. cit., 360
[204] PEREIRA, Rodrigo da Cunha. op. cit., p. 540-541

interesse da criança, seja no campo material ou sentimental[205].

## 2.2 CARACTERÍSTICAS

Considerando a importância do poder familiar para o direito familiar, coube os legisladores brasileiros adequarem o tema aos textos legais nacionais e exporem suas características.

Como já apresentado no título anterior, a Constituição Federal de 1988, em seu artigo 229, enfatiza que se trata de obrigação à proteção, criação e instrução dos filhos pelos pais, assim, entendendo-se que tais disposições são inerentes à paternidade[206].

Entretanto, Caio Mário da Silva Pereira reconhece que o poder familiar não se limita ao artigo 229 da Constituição, dado que pode-se localizar na Carta Magna um complexo de deveres e direitos nos quais os genitores estão obrigados quanto à sua prole. Do mesmo modo, o doutrinador sobreleva que os referidos deveres são impostos a ambos os pais, em consonância com o princípio da isonomia, dessa forma, as deliberações sobre a vida da criança têm de ser tomadas de maneira cooperativa entre os genitores.[207]. Tal

---

205 DIAS, Maria Berenice. op. cit., p. 462

206 BRASIL, Constituição (1988). Constituição da República Federativa do Brasil. Brasília, DF: Senado Federal, 1988. Disponível em: <http://www.planalto.gov.br/ccivil_03/constituicao/constituicaocompilado.htm>

207 PEREIRA, Caio Mário da Silva. Instituições de direito civil – Vol. V / Atual. Tânia da Silva Pereira. – 25. ed. rev., atual. e ampl. – Rio de Janeiro: Forense, 2017. p. 514

afirmação resta comprovada pelo artigo 226, §5º da CF:

> Art. 226. A família, base da sociedade, tem especial proteção do Estado.
>
> [...]
>
> § 5º Os direitos e deveres referentes à sociedade conjugal são exercidos igualmente pelo homem e pela mulher.

Por conseguinte, uma vez que marido e mulher são responsáveis conjuntamente pelas decisões da sociedade conjugal, consequentemente, caberá a ambos definir de forma conjunta o que acreditam ser o melhor para criança. Nesse seguimento, o §7º do mesmo artigo sustenta que a liberdade que o casal possui em planejamento familiar é pautado nos princípios da dignidade da pessoa humana e no princípio da paternidade responsável, vedando que instituições educacionais e cientificas atuem de maneira coercitiva na criação da criança[208].

Caio Mário da Silva Pereira também sustenta ainda que os interesses da criança sempre devem prevalecer sobre o deu seus pais, vez que atribui o artigo 227 da Constituição a responsabilidade e a prioridade da família no que se referem aos direitos fundamentais do infante[209].

Em continuidade, coube também ao Código Civil de 2002

---

208 BRASIL, Constituição (1988). Constituição da República Federativa do Brasil. Brasília, DF: Senado Federal, 1988. Disponível em: <http://www.planalto.gov.br/ccivil_03/constituicao/constituicaocompilado.htm>

209 PEREIRA, Caio Mário da Silva. op. cit. p. 514

discorrer e disciplinar o tema em seu texto legal e, como citado anteriormente, o poder familiar está presente no Código Civil no Capítulo V, Subtítulo II do Título I do Livro IV, nos quais são dedicados os artigos 1.630 ao 1.638. Outrossim, o referido instituto também é visto como presença constante no Estatuto da Criança e do Adolescente, condicionando e apresentando consequências à aqueles que desrespeitarem aos normas elencadas no ECA e no Código Civil. Nesse sentido, ambos textos legais dissertam sobre o poder familiar e apontam características a serem analisadas nesse título. Senão vejamos.

Tencionando sua perfeita execução, o Estado estipula normas para exercício do poder familiar, assim, adquirindo o caráter de *múnus público* conforme esclarece Maria Helena Diniz:

> Ante o exposto percebe-se que o poder familiar:
>
> 1) Constitui um *múnus público,* isto é, uma espécie de função correspondente a um cargo privado, sendo o poder familiar um *direito-funçao* e um *poder-dever,* que estaria numa posição intermediária entre o poder e o direito subjetivo[210].

Adquirida a referida função, esta é imposta aos genitores pelo Estado, para que estes velem pelo futuro de sua prole, respeitando seus interesses e proporcionando bem-estar, independentemente de

[210] DINIZ, Maria Helena. Curso de direito civil brasileiro, volume 5: direito de família / Maria Helena Diniz. - 25. ed. - São Paulo: Saraiva, 2010. p. 565

sua condição financeira[211].

Outra característica do poder familiar trata-se de quem é beneficiado por este direito. Logo em seu primeiro artigo dedicado ao tema, o Código Civil aponta que enquanto considerados menores, os filhos estarão sujeitos ao poder familiar[212]. Dessa forma, o texto legal decreta que a prole assim que atingir a maioridade, completando 18 anos de idade, deixam de ser tutelados pelo poder familiar e, consequentemente, adquirirem capacidade para o exercício dos atos da vida civil[213].

Nesse seguimento, o artigo 1.635 do Código Civil elenca as demais formas de extinção do poder familiar. As formas de suspensão e perda do poder, seja por medida natural ou judicial, estas listadas no artigo 1.638 do Código Civil, serão esclarecidas em títulos próprios.

Uma vez que o Código Civil elenca as formas de extinção do poder familiar, naturalmente, pode-se concluir que o referido instituto é irrenunciável, desse modo, estão os titulares do poder impedidos de abnega-lo, visto que, tal ato caracterizaria a renúncia de uma obrigação imposta pelo Estado e, resultando na recusa de uma responsabilidade de ordem pública[214]. Paulo Nader afirma que a colocação da criança para adoção não configura ato de renúncia,

---

211 GONÇALVES, Carlos Roberto. op. cit., 361

212 BRASIL, Código Civil (2002). Brasília, DF: Senado Federal, 2002. Disponível em: <http://www.planalto.gov.br/ccivil_03/leis/2002/L10406.htm>.

213 COELHO, Fábio Ulhoa. Curso de direito civil, família, sucessões, volume 5 / Fábio Ulhoa Coelho. – 5. ed. rev. e atual. – São Paulo: Saraiva, 2012. p. 413

214 GONÇALVES, Carlos Roberto. op. cit., p. 361

dado que a adoção produz efeitos mais amplos, originando o rompimento do vínculo familiar[215]. Entretanto, o Estatuto da Criança e do Adolescente (ECA), em seu artigo 166, aponta uma exceção a regra que trata-se da adesão dos pais do menor ao requerimento em juízo de colocação da criança em família substituta, no qual o poder familiar será transferido para a família que acolher o menor[216]. Isto posto, com exceção a medida citada, não é permitida a desoneração pelos pais da responsabilidade do poder familiar[217].

O poder familiar também é indelegável, cabendo apenas sua transmissão de forma parcial entre os titulares de exercício do poder[218] ou a um membro da família. Ressalva-se que a entrega da criança a pessoa inidônea configura-se crime, nos termos do artigo 245 do Código Penal[219].

O referido direito trata-se também de um direito inalienável, sendo impedida qualquer forma de transferência dos pais para terceira pessoa, seja a titulo oneroso ou gratuito[220]. Desta maneira quaisquer atos judiciários ou próprios não determinam a transferência de titularidade do poder familiar, somente estipulam a extinção ou suspensão do direito, o qual será assumido por outra família, seja de

---

215 NADER, Paulo. op. cit., p. 557
216 GONÇALVES, Carlos Roberto. op. cit., p. 361
217 NADER, Paulo. op. cit., p. 557
218 COELHO, Fábio Ulhoa. op. cit., p. 417
219 DIAS, Maria Berenice. op. cit., p. 462. BRASIL, Código Penal (1940). Rio de Janeiro, DF: Senado Federal, 1940. Disponível em: <http://www.planalto.gov.br/ccivil_03/decreto-lei/Del2848compilado.htm>
220 DINIZ, Maria Helena. op. cit., p. 566

maneira substituta ou efetiva, por meio da adoção[221].

Consequentemente, por ser direito indelegável e inalienável, o poder familiar assumi também a característica de personalíssimo[222].

O poder familiar se caracteriza por ser imprescritível, pelo fato de que o não exercício do direito não o extingue. A extinção se dará apenas nos casos elencados nos artigos 1.635 e 1.638 do Código Civil[223].

Outra característica é a indivisibilidade, sendo vetado aos pais a confiabilidade do poder a qualquer terceiro. Na hipótese de não habitação da mesma casa pelos pais, o poder deverá ser atribuído a cada um de forma convencional, não caracterizando divisão[224].

O poder familiar é incompatível com a tutela, vez que a nomeação de tutor só se dará nas hipóteses em que os titulares do poder, pai e mãe da criança, tiverem seu direito perdido ou suspenso[225].

Como já demonstrado, o poder familiar se mantém até ocorrer um dos fatores elencados no artigo 1.635, como por exemplo, alcance da maioridade ou perda do direito por condutas nocivas dos titulares. Igualmente, resta configurada a temporariedade

---

221 NADER, Paulo. op. cit., p. 558

222 NADER, Paulo. op. cit., p. 557-558

223 Ibid., p. 558. DINIZ, Maria Helena. op. cit., p. 566

224 NADER, Paulo. op. cit., p. 557

225 DINIZ, Maria Helena. op. cit., p. 566. GONÇALVES, Carlos Roberto. op. cit., p. 361

como característica[226].

Enfim, o poder familiar preserva a característica de uma relação de autoridade, já que os filhos estarão sujeitos as ordens dos pais, cabendo o dever de obediência[227]. Nessa continuidade, afirma Fábio Ulhoa Coelho que o filho que não está mais sob o poder familiar, uma vez que atingiu a maioridade, porém ainda reside com pais, continuam impelidos a devotar-lhes respeito[228].

## 2.3 TITULARIDADE DO PODER FAMILIAR

Apesar de já citados durante todo o capítulo em análise, deve-se agora examinar e elucidar quem são de fato os titulares do poder familiar. Engana-se quem pensa que os titulares do poder são apenas os pais, que praticam o direito de forma ativa e não a prole que atua como sujeito passivo. Se tratando de poder familiar, genitores e filhos são titulares mútuos do direito, conforme declara Paulo Lôbo:

> Quando o Código Civil se refere ao poder familiar dos pais não significa dizer que estes são os únicos titulares ativos e os filhos os sujeitos passivos dele. Para o cumprimento dos deveres decorrentes do poder familiar, os filhos são titulares dos direitos

---

226 NADER, Paulo. op. cit., p. 558
227 Maria Helena. op. cit., p. 566
228 COELHO, Fábio Ulhoa. op. cit., p. 413

> correspondentes. Portanto, o poder familiar é integrado por titulares recíprocos de direitos[229].

Nessa sequência, fica claro que o poder familiar tem como titulares do direito os pais e sua prole. No que tange aos filhos, enquanto menores, esses, de forma irrestrita, fazem jus ao auxílio do poder familiar, fato esse que é assegurado pelo já mencionado artigo 1.630 do Código Civil, o qual afirma estarem os filhos sujeitos ao direito enquanto menores[230].

Entretanto, não há nas redações jurídicas nacionais quando se inicia o poder familiar. O nascituro, que se trata do ser de vida intrauterina, mas com expectativa de nascimento, tem direitos assegurados pelo Código Civil, tal como direito a personalidade[231]. Considerando que o nascituro necessita de cuidados especiais para um desenvolvimento sadio, Paulo Nader analisa que o poder dos pais tem inicio com a fecundação do ventre materno, porém de forma restrita[232]:

> Analisando, todavia, os cuidados que o nascituro exige para a sua formação saudável, somos levados a admitir que o poder dos pais se forma com a fecundação no ventre materno, quando o ser humano encontra-se em formação, ser em devir. Nesta fase, as atribuições do poder são bem limitadas;

229 LÔBO, Paulo. Direito civil: famílias / Paulo Lôbo. – 4. ed. – São Paulo: Saraiva, 2011. p. 299

230 BRASIL, Código Civil (2002). Brasília, DF: Senado Federal, 2002. Disponível em: <http://www.planalto.gov.br/ccivil_03/leis/2002/L10406.htm>

231 PEREIRA, Rodrigo da Cunha. op. cit., p. 477

232 NADER, Paulo. op. cit., p. 558

> [...]
>
> Os deveres dos pais, como o de assistência médica, alimentação especial e eventuais medicamentos para a gestante, têm início a partir desta fase. Há situações que exigem especial desvelo dos pais, como na constatação de que o nascituro deve submeter-se à intervenção cirúrgica[233].

Notório que a titularidade do poder familiar, no que se refere aos filhos, se inicia com este ainda nascituro. Partindo dessa premissa, por óbvio, no que se refere aos genitores, o referido direito começa juntamente ao de sua prole.

Na atualidade, pai e mãe exercem o poder familiar de formar igualitária, com dualidade, necessitando que as decisões sobre a vida do filho sejam tomadas de maneira conjunta, como educação, saúde, lazer etc. Contudo, como anteriormente aludido, o poder era exercido de forma exclusiva pelo pai, fato este que é comprovado pelo art. 380 do Código Civil de 1916, que estabelecia que o pai exercesse o pátrio poder durante o casamento e, só podendo ser exercido pela esposa, nas hipóteses em que o marido encontrava-se ausente[234]. Assim, é irrefutável que o poder exercido pela mulher só ocorria de forma sucessória e nunca de maneira conjunta, como ocorre nos dias atuais. Nos casos de divergência de decisões entre os cônjuges, sempre prevalecia à vontade do homem. Esta conjuntura só veio a ser modificada 26 anos depois com o chamado Estatuto da

---

[233] NADER, Paulo. op. cit., p. 558-559
[234] MADALENO, Rolf. op. cit., p. 678-679

Mulher Casada, que se trata da Lei nº 4.121 de 27 de agosto de 1962, que alterou a redação do artigo 380 da Lei Civil, que dava poderes exclusivos ao marido, para um texto que apontava que o poder familiar seria exercido pelos pais, de forma que sua efetiva execução ocorria pelo marido, todavia em colaboração com a mulher[235]. O Estatuto também alterou o jeito de resolução em casos de divergência de decisões entre os cônjuges, podendo agora a esposa recorrer ao Juiz para tentar solucionar o conflito[236].

O poder familiar só veio a ser exercido de forma igualitária com a promulgação da Constituição Federal de 1988, que em seu artigo 226, §5º estabeleceu que homem e uma mulher, de forma parelha, têm de exercer os direitos e deveres relativos à sociedade conjugal[237]. A consolidação da uniformidade de exercício do poder familiar veio com o advento do artigo 21 do ECA:

> Art. 21. O poder familiar será exercido, em igualdade de condições, pelo pai e pela mãe, na forma do que dispuser a legislação civil, assegurado a qualquer deles o direito de, em caso de discordância, recorrer à autoridade judiciária competente para a solução da divergência[238].

---

235 GONÇALVES, Carlos Roberto. op. cit., p. 362
236 MADALENO, Rolf. op. cit., p. 678
237 VENOSA, Sílvio de Salvo. op. cit., p. 304
238 BRASIL. Lei n. 8.069, de 13 de julho de 1990. Dispõe sobre o Estatuto da Criança e do Adolescente e dá outras providências. Lex: Estatuto da Criança e do Adolescente. Disponível em: <http:://www.planalto.gov.br/ccivil_03/Leis/L8069.htm>

Destaca-se que no referido artigo constava a tipologia pátrio poder, sendo esta substituída pela expressão poder familiar pelo artigo 3º da Lei nº 12.010, de 3 de agosto de 1990[239].

Nesse seguimento, em 2002, o novo Código Civil, em seu artigo 1.631, conferiu o referido direito aos pais em igualdade de condições:

> Art. 1.631. Durante o casamento e a união estável, compete o poder familiar aos pais; na falta ou impedimento de um deles, o outro o exercerá com exclusividade.
>
> Parágrafo único. Divergindo os pais quanto ao exercício do poder familiar, é assegurado a qualquer deles recorrer ao juiz para solução do desacordo[240].

Se observado de forma taxativa, o artigo 1.631 limita o exercício do poder familiar apenas aos pais casados ou em união estável. No entanto, Paulo Lôbo assegura que não só os pais que se encontram envoltos nas relações destacadas no artigo são titulares do poder familiar, mas sim todas as entidades familiares, cabendo apenas uma interpretação do referido artigo[241]:

---

239 BRASIL. Lei n. 12.010, de 3 de agosto de 2009. Dispõe sobre adoção; altera as Leis nos 8.069, de 13 de julho de 1990 - Estatuto da Criança e do Adolescente, 8.560, de 29 de dezembro de 1992; revoga dispositivos da Lei no 10.406, de 10 de janeiro de 2002 - Código Civil, e da Consolidação das Leis do Trabalho - CLT, aprovada pelo Decreto-Lei no 5.452, de 1o de maio de 1943; e dá outras providências. Disponível em: <http://www.planalto.gov.br/ccivil_03/_Ato2007-2010/2009/Lei/L12010.htm#art3>

240 BRASIL, Código Civil (2002). Brasília, DF: Senado Federal, 2002. Disponível em: <http://www.planalto.gov.br/ccivil_03/leis/2002/L10406.htm>

241 LÔBO, Paulo. op. cit., p. 299

> O Código Civil refere-se apenas à titularidade dos pais, durante o casamento ou a união estável, restando silente quanto às demais entidades familiares tuteladas explícita ou implicitamente pela Constituição. Ante o princípio da interpretação em conformidade com a Constituição, a norma deve ser entendida como abrangente de todas as entidades familiares, onde houver quem exerça o múnus, de fato ou de direito, na ausência de tutela regular, como se dá com irmão mais velho que sustenta os demais irmãos, na ausência de pais, ou de tios em relação a sobrinhos que com ele vivem[242].

Outra ocorrência que atesta a declaração de Paulo Lôbo se dá nos casos de divórcio, pois seria ilógico que um dos pais perderia sua autoridade familiar sobre seu filho em decorrência da separação. O poder familiar sucede-se da filiação e da paternidade e não da união dos pais[243], restando garantido o poder parental a ambos os genitores, perdurando de forma integra em caso de dissolução da união estável ou divórcio destes[244].

Ademais, o artigo 1.579 do Código Civil estabelece que os direitos e deveres dos pais sobre seus filhos não são modificados em virtude do divórcio[245].

Dessa forma, pode-se dizer que única alteração que o divórcio e a dissolução causam ao poder familiar trata-se da guarda, porém,

242 LÔBO, Paulo. op. cit., p. 299-300

243 VENOSA, Sílvio de Salvo. op. cit., p. 305

244 LÔBO, Paulo. op. cit., p. 301

245 BRASIL, Código Civil (2002). Brasília, DF: Senado Federal, 2002. Disponível em: <http://www.planalto.gov.br/ccivil_03/leis/2002/L10406.htm>

ressalva-se que o Código Civil em seu artigo 1.589 garante ao genitor que não for guardião o direito de visitar a prole, além de poder supervisionar sua manutenção e educação[246]. Nesse seguimento, as instituições de ensino são obrigadas a fornecer a ambos os genitores informações sobre a vida acadêmica do filho, nos termos da Lei nº 12.013, de 6 de agosto de 2009[247].

Carlos Roberto Gonçalves discorre que o genitor que não detém a guarda tem seu poder enfraquecido, tendo em vista que o pai guardião exerce o direito individualmente[248]. Conquanto, Paulo Lôbo afirma que o que ocorre na verdade é uma disparidade de grau do poder familiar, sendo o pai com o dever de guarda possui um grau maior, por isso, ocorre essa variação de grau somente no que tange ao exercício do poder familiar, sendo a titularidade do direito mantida de forma igual[249]. Nada obstante, caso um dos genitores considere seu poder extenuado, pode recorrer ao poder judiciário fundamentando-se no parágrafo único do artigo 1.631 do Código Civil, visando solução para algum desacordo, podendo ser, por exemplo, quanto a forma de educação do filho[250]. Nesse caso, o Juiz deverá considerar que o filho não se trata de um objeto de litígio dos pais e sim um sujeito, à vista disso, sua decisão deve ser tomada

---

246 Ibid.

247 BRASIL. Lei n. 12.013, de 6 de agosto de 2009. Altera o art. 12 da Lei no 9.394, de 20 de dezembro de 1996, determinando às instituições de ensino obrigatoriedade no envio de informações escolares aos pais, conviventes ou não com seus filhos. Disponível em: <http://www.planalto.gov.br/ccivil_03/_ato2007-2010/2009/lei/l12013.htm>

248 GONÇALVES, Carlos Roberto. op. cit., p. 363

249 LÔBO, Paulo. op. cit., p. 300

250 LÔBO, Paulo. op. cit., p. 306

respeitando a vontade da criança para que seus interesses sejam obtidos[251].

Nessa linha de raciocínio, caso ocorra a anulação do matrimônio, não sendo irrelevante o fato de este ser putativo ou não, o poder familiar continuará sendo de titularidade dos pais da criança[252].

Nas hipóteses de filiação sucedida fora do casamento, se reconhecido por ambos os genitores, a titularidade do poder será de ambos, sendo a guarda definida àquele que demonstrar melhores condições de praticá-la[253]. Se a criança não for reconhecida pelo pai, o poder familiar será exercido e de forma exclusiva pela mãe, nos termos do artigo 1.633 do Código Civil[254]. Caso a mãe da criança seja impedida judicialmente de exercer o referido direito ou se tratar de pessoa desconhecida, o poder não será entregue ao pai que não assumiu a criança, mas sim será nomeado um tutor, conforme discorre Maria Helena Diniz[255]:

> Se o menor for reconhecido por ambos os genitores, ficará sob o poder familiar de ambos; poderá ocorrer que a guarda fique com a mãe, que o exercerá, pois justo não seria deferir o exercício do poder familiar ao pai, se nunca teve o filho em sua companhia, a menos

251 Ibid., p. 301

252 VENOSA, Sílvio de Salvo. op. cit., p. 306

253 GONÇALVES, Carlos Roberto. op. cit., p. 363

254 VENOSA, Sílvio de Salvo. op. cit., p. 306. BRASIL, Código Civil (2002). Brasília, DF: Senado Federal, 2002. Disponível em: <http://www.planalto.gov.br/ccivil_03/leis/2002/L10406.htm>.

255 DINIZ, Maria Helena. Código Civil: anotado / Maria Helena Diniz - 14. ed. rev. e atual. - São Paulo: Saraiva, 2009. p. 1157

> que o juiz decida o contrário. Se o pai não reconhecer filho menor, este ficará sob o poder familiar materno (RT. 505:68), e, se porventura não for reconhecido por nenhum dos pais, ou, ainda, se a mãe for desconhecida ou incapaz de exercer o poder familiar, por estar sob interdição ou por ter sido dele suspensa ou destituída, nomear-se-á tutor ao menor[256].

Percebe-se, portanto, que o texto ideal para o artigo 1.631 seria "o poder familiar será exercido, em igualdade de condições, pelo pai e pela mãe" conforme afirma Carlos Roberto Gonçalves[257], visto que o poder familiar deverá ser exercido por ambos os genitores, em igualdade de condições, cabendo a estes atenderem os interesses de seus filhos[258].

Demonstrado os titulares do poder familiar e restando claro quem deverá dar pleno exercício aos direitos previstos no artigo 1.634 do Código Civil, deve-se agora analisar os referidos direitos que serão examinados no próximo título.

## 2.4 EXERCÍCIO DO PODER FAMILIAR

O exercício do poder familiar ou conteúdo do poder familiar pode ser conceituado como o conjunto de responsabilidades e

---

[256] Ibid., p. 1157

[257] GONÇALVES, Carlos Roberto. op. cit., p. 363

[258] DINIZ, Maria Helena. Código Civil: anotado, cit., p. 1156

direitos de competência de ambos os pais, independentemente de sua situação conjugal, em favor dos filhos menores, sejam eles crianças ou adolescentes, dispondo como objetivo o interesse destes[259]. Carlos Roberto Gonçalves descreve o exercício do poder familiar nos seguintes moldes:

> o poder familiar é representado por um conjunto de regras que engloba direitos e deveres atribuídos aos pais, no tocante à pessoa e aos bens dos filhos menores. As concernentes à pessoa dos filhos são, naturalmente, as mais importantes[260].

O referido assunto origina-se no artigo 229 da Constituição Federal de 1998, a qual estabelece que o dever de educar, assistir e criar a criança cabe aos pais, sendo esses direitos inerentes. Ademais, o artigo 22 do ECA indica ser função dos genitores sustentar, educar e guardar sua prole enquanto incapazes[261].

As citadas obrigações, quanto à pessoa dos filhos, que se referem às relações pessoais da criança, tal como criação e educação, encontram-se elencadas no artigo 1.634 do Código Civil de 2002[262]:

> Art. 1.634. Compete a ambos os pais, qualquer que seja a sua situação conjugal, o pleno exercício do poder familiar, que consiste em, quanto aos filhos:
>
> I - dirigir-lhes a criação e a educação;

---

259 LÔBO, Paulo. op. cit., p. 300
260 GONÇALVES, Carlos Roberto. op. cit., p. 363
261 MADALENO, Rolf. op. cit., p. 680
262 NADER, Paulo. op. cit., p. 563

> II - exercer a guarda unilateral ou compartilhada nos termos do art. 1.584;
>
> III - conceder-lhes ou negar-lhes consentimento para casarem;
>
> IV - conceder-lhes ou negar-lhes consentimento para viajarem ao exterior;
>
> V - conceder-lhes ou negar-lhes consentimento para mudarem sua residência permanente para outro Município;
>
> VI - nomear-lhes tutor por testamento ou documento autêntico, se o outro dos pais não lhe sobreviver, ou o sobrevivo não puder exercer o poder familiar;
>
> VII - representá-los judicial e extrajudicialmente até os 16 (dezesseis) anos, nos atos da vida civil, e assisti-los, após essa idade, nos atos em que forem partes, suprindo-lhes o consentimento;
>
> VIII - reclamá-los de quem ilegalmente os detenha;
>
> IX - exigir que lhes prestem obediência, respeito e os serviços próprios de sua idade e condição[263].

Maria Berenice Dias destaca que, apesar de amplo, o rol de obrigações elencados no artigo supra citado, não apresenta a obrigação de dar carinho, afeto e amor a sua prole, sendo essas atribuições consideradas as mais importantes pela doutrinadora, tendo em vista que a convivência familiar, regrada na missão

---

263 BRASIL, Código Civil (2002). Brasília, DF: Senado Federal, 2002. Disponível em: <http://www.planalto.gov.br/ccivil_03/leis/2002/L10406.htm>.

constitucional dos deveres de criar, educar e prestar assistência e, consequentemente, a afetividade responsável, vai muito além dos encargos de natureza patrimonial. Nesse seguimento, conclui Maria Berenice Dias que, uma vez que não há alusão direta aos preceitos previstos na Constituição Federal e no ECA nos artigos acima mencionados, monta-se as demais obrigações e direitos previstos no Código Civil com os oriundos do poder familiar[264].

Os deveres dos pais relativos à administração de bens do filho e demais relações patrimoniais, enquanto estes estiverem protegidos pelo poder familiar, encontram-se elencadas no artigo 1.689 do Código Civil:

> Art. 1.689. O pai e a mãe, enquanto no exercício do poder familiar:
>
> I - são usufrutuários dos bens dos filhos;
>
> II - têm a administração dos bens dos filhos menores sob sua autoridade[265].

Destaca-se que o titular do poder familiar que não cumprir o determinado nos artigos referentes ao exercício do poder familiar estará sujeito as sanções previstas no artigo 249 do ECA, que estipula multa àquele que descumprir as obrigações inerentes ao poder familiar[266], além de punições na esfera penal.

---

264 DIAS, Maria Berenice. op. cit., p. 465

265 BRASIL, Código Civil (2002). Brasília, DF: Senado Federal, 2002. Disponível em: <http://www.planalto.gov.br/ccivil_03/leis/2002/L10406.htm>.

266 BRASIL. Lei n. 8.069, de 13 de julho de 1990. Dispõe sobre o Estatuto da Criança e do Adolescente e dá outras providências. Lex: Estatuto da Criança e do

Isto posto, passamos agora a apreciar as atribuições atribuídas aos pais da criança para o exercício do poder familiar quanto à pessoa do filho, previstos no artigo 1.634 da lei civil.

### 2.4.1 Quanto à pessoa dos filhos

#### 2.4.1.1Dirigir-lhes a criação e a educação

O dever de dirigir a criação e a educação dos filhos, previsto no inciso I do artigo 1.634, é tido como o mais importante dever dentre todos aqueles que compõem o conteúdo de exercício do poder familiar[267], e este refere-se à obrigação dos pais em tornar seus filhos importantes à sociedade[268], isto é, caberá aos pais formar o caráter da criança, através de sua educação e criação, oferecendo-lhe todos os instrumentos necessários para seu desenvolvimento, segundo discorre Maria Helena Diniz:

> Os pais deverão dirigir a criação e educação dos filhos menores, proporcionando-lhes meios materiais para sua subsistência e instrução, de acordo com suas posses econômicas e condição social, amoldando sua

---

Adolescente. Disponível em: <http::/ /www.planalto.gov.br/ccivil_03/Leis/L8069.htm>.
267 COELHO, Fábio Ulhoa. op. cit., p. 420
268 VENOSA, Sílvio de Salvo. op. cit., p. 310

> personalidade e dando-lhes boa formação moral e intelectual[269].

Com isso, entende-se que o referido direito tem como objetivo preparar a criança para a vida[270], tendo a incumbência de graduá-lo à vida profissional, através de ensinamentos formais ou informais, de teor prático ou teórico, a fim de que este tenha um bom desenvolvimento intelectual, mental, ético, espiritual e físico[271]. Da mesma forma, compete aos titulares do poder familiar reconhecer os valores de cada filho, o encorajar, a fim de elevar sua autoestima e expandir seu potencial, e sempre o estimular a superar as dificuldades que a vida lhe propiciar[272].

Aquele que não cumprir as obrigações imposta no inciso em discussão, além de estar sujeito a ter seu poder familiar extinto, como determina o artigo 1.638, II do CC[273], também estará suscetível a incidência do artigo 244 do Código Penal, que prevê o crime de abandono material[274]. Releva-se que a extinção do poder familiar nestas circunstâncias não desobriga o genitor penalizado de prestar alimentos. A intenção do legislador foi de conceber uma punição ao

---

269 DINIZ, Maria Helena. Código Civil: anotado, cit., p. 1159

270 COELHO, Fábio Ulhoa. op. cit., p. 420

271 MADALENO, Rolf. op. cit., p. 681

272 NADER, Paulo. op. cit., p. 564

273 BRASIL, Código Civil (2002). Brasília, DF: Senado Federal, 2002. Disponível em: <http://www.planalto.gov.br/ccivil_03/leis/2002/L10406.htm>.

274 BRASIL, Código Penal (1940). Rio de Janeiro, DF: Senado Federal, 1940. Disponível em: <http://www.planalto.gov.br/ccivil_03/decreto-lei/Del2848compilado.htm>.

pai relapso, vez que, do contrário, este se favoreceria com a extinção do poder e consequente exoneração dos alimentos[275].

Quanto às responsabilidades de criação, deverão os pais estabelecerem limites em casa por meio de regras, tais como, horários de refeição e de dormir, uso adequado de utensílios domésticos, ajudar nas tarefas de casa etc[276].

Atribui-se também aos genitores a definição do modo de educação a ser dada ao filho, ou seja, tem o dever os pais de definir, considerando suas capacidades financeiras, se a criança deverá ingressar em uma escola pública ou privada; também deverão escolher o modelo de orientação pedagógica à ser aplicado[277]. No que tange a educação, se o filho apresentar opiniões maduras, estas poderão ser consideradas pelos pais. Maria Berenice Dias afirma que é dever do Estado incentivar a criança a frequentar instituições de ensino e obrigação dos pais mantê-lo na escola, controlando suas notas e frequência, uma vez que o ensino é tido como um direito subjetivo público[278]. Partindo dessa premissa, o ECA prevê em seu artigo 55 que é responsabilidade dos pais matricularem seus filhos na rede regular de ensino[279]. Dessa forma, destaca-se que o não cumprimento do referido artigo, dará causa ao abandono intelectual,

---

[275] GONÇALVES, Carlos Roberto. op. cit., p. 364

[276] COELHO, Fábio Ulhoa. op. cit., p. 420

[277] GONÇALVES, Carlos Roberto. op. cit., p. 365

[278] DIAS, Maria Berenice. op. cit., p. 466

[279] BRASIL. Lei n. 8.069, de 13 de julho de 1990. Dispõe sobre o Estatuto da Criança e do Adolescente e dá outras providências. Lex: Estatuto da Criança e do Adolescente. Disponível em: <http::/ /www.planalto.gov.br/ccivil_03/Leis/L8069.htm>.

previsto no artigo 246 do Código Penal, estando assim sujeito a pena de detenção de 15 dias a um mês, ou multa[280].

### 2.4.1.2 Exercer a guarda unilateral ou compartilhada nos termos do art. 1.584

Previsto no inciso II do artigo 1.634, inicialmente, cabe salientar que o referido foi alterado pela Lei nº 13.058, de 22 de dezembro de 2014, sendo a expressão anterior "tê-los em sua companhia e guarda" substituída por "exercer a guarda unilateral ou compartilhada nos termos do art. 1.584". A mencionada Lei foi sancionada para conceituar e dispor sobre a aplicação da guarda compartilhada[281].

Logo, o referido inciso se refere ao direito dos genitores de exercerem a guarda de forma compartilhada ou unilateral, entendendo-se guarda como o poder e dever dos pais de terem seus filhos menores de 18 anos, em sua companhia com a finalidade de instruí-los e educa-los, em concordância com o Código Civil em seu artigo 1.584.

---

280 BRASIL. Código Penal (1940). Rio de Janeiro, DF: Senado Federal, 1940. Disponível em: <http://www.planalto.gov.br/ccivil_03/decreto-lei/Del2848compilado.htm>.

281 BRASIL. Lei n. 13.058, de 22 de dezembro de 2014. Altera os arts. 1.583, 1.584, 1.585 e 1.634 da Lei no 10.406, de 10 de janeiro de 2002 (Código Civil), para estabelecer o significado da expressão "guarda compartilhada" e dispor sobre sua aplicação. Disponível em: <http://www.planalto.gov.br/CCivil_03/_Ato2011-2014/2014/Lei/L13058.htm#art2>.

Verifica-se que para que o menor receba criação e educação com primor, nos termos do inciso I, vê-se necessário a supervisão da criança pelos pais, com o propósito de analisar suas necessidades e acompanhar sua evolução. Posto isto, nota-se primordial o convívio do filho com os pais[282]. Dessa maneira, o direito de exercer a guarda, como discorre o inciso, tem como objetivo, não só o fato de ter os filhos perto de si, mas de proporcionar aos pais o poder de fiscalizar os atos da vida da criança, à medida que reitera Paulo Lôbo[283]:

> O direito-dever de guarda inclui o de fiscalização, que "permite aos pais controlar a vida da criança, dentro do domicílio familiar e fora dele. Esse direito permite submeter a criança à vigilância sobre a organização de seu cotidiano e em controlar seus deslocamentos, suas relações com os membros da família e com terceiros. Ele permite controlar as correspondências e as comunicações. O direito deve ser exercido no interesse da criança, em função de sua idade e da cultura familiar[284].

Entretanto, Paulo Lôbo também declara que apesar da obrigação de cuidado dos pais com a criança, a privacidade desta sempre deve ser respeitada[285].

Frisa-se que o titular da obrigação que não é o guardião da criança, não está isento do exercício das demais atribuições do poder familiar, pois, apesar do filho não estar sob seus cuidados, está

[282] NADER, Paulo. op. cit., p. 566
[283] LÔBO, Paulo. op. cit., p. 304
[284] Ibid., p. 304
[285] Ibid., p. 304

envolto de sua autoridade[286]. Por óbvio, o guardião da criança detém um maior grau de responsabilidade, tendo em vista que exerce a chamada responsabilidade *in vigilando*, que se trata da disposição de zelar pela integridade física e mental do menor, mantendo-o sob sua gestão, protegendo seu patrimônio e, nos casos em que o filho deixa ou se afasta do seu lar, que nada mais é que o domicílio de seus pais, terá o titular do poder familiar não só o direito, mas a obrigação de resgatar a criança de volta para sua casa, de forma coercitiva se necessário. A recondução do menor a sua esfera doméstica pode ser executada por meios judiciais, por meio de ação cautelar de busca e apreensão[287]. Nesse sentido, evidentemente não seria justo pelo simples fato de um dos pais não deter a guarda, desobrigá-lo das demais responsabilidades do poder familiar. Outrossim, como já informado em títulos anteriores, o poder familiar não sofre qualquer modificação em decorrência do divórcio dos pais[288].

Destarte, fica claro que a responsabilidade dos pais tem origem no poder familiar e não da guarda[289], dado que ambas podem subsistir, sendo que caso um dos genitores não seja o detentor da guarda, este terá o poder de visita[290].

---

286 DIAS, Maria Berenice. op. cit., p. 467
287 NADER, Paulo. op. cit., p. 566
288 DIAS, Maria Berenice. op. cit., p. 467
289 Ibid., p. 467
290 NADER, Paulo. op. cit., p. 566-567

#### 2.4.1.3 Conceder-lhes ou negar-lhes consentimento para casarem

Homem ou mulher na chamada idade núbil, que se trata da pessoa com idade entre 16 e 18 anos, que atingiu a puberdade, mas ainda não alcançou a maioridade civil, e que tem o desejo de se casar, necessita da autorização dos pais ou responsáveis[291], conforme é previsto no artigo 1.517 do Código Civil, presente no capítulo II, subtítulo I, Título I do Livro IV, que é dedicado a capacidade para casamento. Portanto, o inciso III do artigo 1.634, a ser analisado agora, versa sobre o poder dos titulares da autoridade parental de negar ou dar consentimento aos filhos menores para se casarem[292].

A razão dos pais terem que conceder permissão para o casamento conjectura-se do fato de que estes são os que tem maior interesse pelo filho e, consequentemente, pelo seu bem-estar[293]. Desta forma, é indispensável que, considerando que a autorização deverá beneficiar o filho[294], os pais analisem toda a situação de fato, levando em consideração a maturidade do casal, a aptidão destes para o enfrentamento de compromissos particulares ao matrimônio, as condições de saúde de ambos e se estes terão autossuficiência econômica para se manterem[295]. Nessa continuidade, Rolf Madaleno,

---

291 PEREIRA, Rodrigo da Cunha. op. cit., p. 488-489
292 VENOSA, Sílvio de Salvo. op. cit., p. 310
293 GONÇALVES, Carlos Roberto. op. cit., p. 366
294 VENOSA, Sílvio de Salvo. op. cit., p. 310
295 NADER, Paulo. op. cit., p. 567

na conjectura que os pais tem o dever legal de zelar por sua prole, a citada análise deve ser feita de forma minuciosa, a fim de evitar decisões apressadas[296]:

> A injustiça da recusa é subjetiva, e o casamento de adolescentes tem se mostrado quase sempre uma decisão bastante precipitada, pelo fato de serem ainda muito jovens e inexperientes; e não serão poucas as dificuldades que terão de enfrentar na vida nupcial iniciada tão cedo, não raras vezes com sérios prejuízos na sua formação pessoal, interrompendo estudos, planos e projetos de vida, talvez motivados pela prematura e inconsequente gravidez sucedida na adolescência, ou pela desenfreada e obstinada paixão, sendo importante a decisão ponderada dos pais, que experientes e despojados de surrados preconceitos socioculturais sopesam e projetam nas suas decisões o valor maior da razão e essa se sobrepõe em bom tempo sobre o impulso da empolgação[297].

Analisada toda a situação, poderão os pais negar a autorização, desde que apresentem justificativas plausíveis[298]. Nessa hipótese, o Código Civil em seu artigo 1.519 permite que o filho recorra ao judiciário, desde que a justificativa apresentada se caracterize abusiva, podendo, assim, o juiz substituir o consentimento parental[299]. Considerando que o artigo 1.517 exige o consentimento

---

296 MADALENO, Rolf. op. cit., p. 682
297 Ibid., p. 682
298 NADER, Paulo. op. cit., p. 567
299 COELHO, Fábio Ulhoa. op. cit., p. 422

de ambos os pais[300], nos casos em que há divergência entre os genitores, a discordância poderá ser solucionada pelas vias judiciais, com fundamentação no artigo 1.631, parágrafo único[301].

Por fim, anota-se que a autorização não poderá ser realizada em termos gerais, devendo o consentimento ser dado de forma específica[302] e podendo ser revogado até a data da celebração do casamento[303].

#### 2.4.1.4 Conceder-lhes ou negar-lhes consentimento para viajarem ao exterior

Conceder-lhes ou negar-lhes consentimento para viajarem ao exterior trata-se do texto legal presente no inciso IV do artigo 1.634. O referido inciso foi acrescentado pela Lei nº 13.058/2014[304]. Destarte, o inciso fundamenta-se no Estatuto da Criança e do Adolescente, em seus artigos 83, 84 e 85, que regulamentam as condições para que a criança viaje para o exterior:

---

300 BRASIL, Código Civil (2002). Brasília, DF: Senado Federal, 2002. Disponível em: <http://www.planalto.gov.br/ccivil_03/leis/2002/L10406.htm>.

301 MADALENO, Rolf. op. cit., p. 682

302 GONÇALVES, Carlos Roberto. op. cit., p. 366

303 LÔBO, Paulo. op. cit., p. 304

304 BRASIL. Lei n. 13.058, de 22 de dezembro de 2014. Altera os arts. 1.583, 1.584, 1.585 e 1.634 da Lei no 10.406, de 10 de janeiro de 2002 (Código Civil), para estabelecer o significado da expressão "guarda compartilhada" e dispor sobre sua aplicação. Disponível em: <http://www.planalto.gov.br/CCivil_03/_Ato2011-2014/2014/Lei/L13058.htm#art2>.

Art. 83. Nenhuma criança poderá viajar para fora da comarca onde reside, desacompanhada dos pais ou responsável, sem expressa autorização judicial.

§ 1º A autorização não será exigida quando:

a) tratar-se de comarca contígua à da residência da criança, se na mesma unidade da Federação, ou incluída na mesma região metropolitana;

b) a criança estiver acompanhada:

1) de ascendente ou colateral maior, até o terceiro grau, comprovado documentalmente o parentesco;

2) de pessoa maior, expressamente autorizada pelo pai, mãe ou responsável.

§ 2º A autoridade judiciária poderá, a pedido dos pais ou responsável, conceder autorização válida por dois anos.

Art. 84. Quando se tratar de viagem ao exterior, a autorização é dispensável, se a criança ou adolescente:

I - estiver acompanhado de ambos os pais ou responsável;

II - viajar na companhia de um dos pais, autorizado expressamente pelo outro através de documento com firma reconhecida.

Art. 85. Sem prévia e expressa autorização judicial, nenhuma criança ou adolescente nascido em território

> nacional poderá sair do País em companhia de estrangeiro residente ou domiciliado no exterior[305].

Como o artigo esclarece, viajar para o exterior trata-se de quando a pessoa deixa o território nacional onde reside, neste caso, o Brasil.

Para que a criança viaje para o exterior, o consentimento de ambos os titulares do poder familiar será exigido, mesmo nas hipóteses em que um deles detenha a guarda unilateral, tendo em vista que o não desempenho da guarda compartilhada não destitui o pai que não é o guardião da criança do poder familiar[306].

#### 2.4.1.5 Conceder-lhes ou negar-lhes consentimento para mudarem sua residência permanente para outro Município

Assim como no inciso anterior, o inciso V, que concede o poder aos pais de permitir ou negar que seu filho se mude para outro município de forma permanente, também foi acrescentado ao Código Civil pela Lei 13.058/2014.

---

305 BRASIL. Lei n. 8.069, de 13 de julho de 1990. Dispõe sobre o Estatuto da Criança e do Adolescente e dá outras providências. Lex: Estatuto da Criança e do Adolescente. Disponível em: <http::/ /www.planalto.gov.br/ccivil_03/Leis/L8069.htm>.

306 GONÇALVES, Carlos Roberto. Direito civil, 3: esquematizado: responsabilidade civil, direito de família, direito das sucessões / Carlos Roberto Gonçalves. - 4. ed. - São Pauloo: Saraiva, 2017. p. 603

Como já demonstrado, o convívio dos pais com a criança é fundamental para que o poder familiar seja exercido de forma eficaz, vigiando seu desenvolvimento psicológico e físico, acompanhando seu desenvolvimento escolar, além de aproximar os laços afetuosos entre esses[307]. Ponderando que o exercício do direito familiar já se vê, em tese, prejudicado nas hipóteses em que os genitores não compartilhem do mesmo ambiente familiar, visto que o poder será executado individualmente pelo guardião, evidentemente, a mudança da criança para outra comarca, teoricamente, dificultaria o exercício do poder familiar[308]. Assim, o referido inciso em discussão garante ao genitor não guardião o direito de negar ou conceder autorização para que seu filho, guardado pelo poder familiar, mude-se de forma permanente para outra cidade[309].

Bem como nos demais deveres e obrigações do poder familiar, o que for melhor para criança deve sempre ser priorizado, posto isso, a mudança do filho para outra cidade deve respeitar o melhor interesse da criança, de acordo com o parágrafo 3º do artigo 1.583 do Código Civil, que discorre sobre a guarda unilateral e compartilhada[310].

Outro aspecto a ser observado, versa-se do domicilio necessário que é predito no artigo 76 do Código Civil:

---

307 NADER, Paulo. op. cit., p. 566

308 GONÇALVES, Carlos Roberto. Direito civil brasileiro, volume 6: direito de família, cit., p. 363

309 Id. Direito civil, 3: esquematizado, cit., p. 603

310 BRASIL, Código Civil (2002). Brasília, DF: Senado Federal, 2002. Disponível em: <http://www.planalto.gov.br/ccivil_03/leis/2002/L10406.htm>.

> Art. 76. Têm domicílio necessário o incapaz, o servidor público, o militar, o marítimo e o preso.
>
> Parágrafo único. O domicílio do incapaz é o do seu representante ou assistente; o do servidor público, o lugar em que exercer permanentemente suas funções; o do militar, onde servir, e, sendo da Marinha ou da Aeronáutica, a sede do comando a que se encontrar imediatamente subordinado; o do marítimo, onde o navio estiver matriculado; e o do preso, o lugar em que cumprir a sentença[311].

O mencionado artigo tem como finalidade assegurar que o princípio do superior interesse da criança ou adolescente seja respeitado, dessa forma possibilitando que sua personalidade possa ser desenvolvida de forma plena[312].

Conclui-se que o inciso em debate tem como objeto principal proteger os interesses e garantir o que for melhor para o menor e não simplesmente torná-lo um objeto de disputa entre os pais.

#### 2.4.1.6 Nomear-lhes tutor por testamento ou documento autêntico, se o outro dos pais não lhe sobreviver, ou o sobrevivo não puder exercer o poder familiar

311 Ibid.
312 DINIZ, Maria Helena. Curso de direito civil brasileiro, volume 5, cit., p. 123

O inciso IV do artigo 1.634 baseia-se na mesma prerrogativa do inciso III, que se trata de que o maior interesse e preocupação para o futuro dos filhos parte principalmente de seus genitores, dessa forma, caberá aos pais elegerem quem melhor os representará, na forma de um tutor, caso venham a falecer[313]. Evidentemente, os filhos só serão entregues a responsabilidade de um tutor caso ainda não tenham atingido a maioridade ou não se enquadrem em nenhuma das circunstâncias previstas no artigo 1.635, que versa sobre as formas de extinção do poder familiar[314].

Em breve resumo, tutor é a pessoa que, de forma voluntária, legal, ocasional ou testamentária, é incumbido de representar, auxiliar e administrar os bens da criança que não esteja sob o poder familiar. Tal encargo é denominado tutela e o menor sob tutela é chamado de tutelado[315].

O Código Civil indica em seu artigo 1.731, os parentes consanguíneos habilitados a perceber a tutela da criança nos casos em que ambos os pais tenham morrido ou tenham seu poder familiar declinado, sendo estes: os ascendentes e os colaterais até o terceiro grau. O juiz ao conferir a tutela deverá analisar o grau de parentesco, optando pelos de grau mais próximo, tal como preferindo àqueles com mais idade[316]. Entretanto, sobreleva-se que a entrega da tutela

---

313 GONÇALVES, Carlos Roberto. Direito civil brasileiro, volume 6: direito de família, cit., p. 366

314 COELHO, Fábio Ulhoa. op. cit., p. 422

315 PEREIRA, Rodrigo da Cunha. op. cit., p. 693

316 BRASIL, Código Civil (2002). Brasília, DF: Senado Federal, 2002. Disponível em: <http://www.planalto.gov.br/ccivil_03/leis/2002/L10406.htm>.

nos termos do referido artigo somente se dará nos casos em que os pais não tenham nomeado um tutor de sua preferência. De modo igual, os genitores se não satisfeitos com o tutor apontado pela lei, deverão apontar outra pessoa para o exercício da tutela[317].

A nomeação de um tutor é responsabilidade restrita dos genitores, devendo ser realizado de forma conjunta, nos termos do artigo 1.729 do Código Civil[318]. Na forma do inciso em análise, poderá se dar a indicação de um tutor por um dos pais, condicionado ao fato de já falecido o outro ascendente ou impedido de desempenhar o direito familiar[319]. Para que a designação tenha legitimidade, é imprescindível que os pais estejam no exercício do poder familiar ao indicar um tutor. Nos prognósticos em que o genitor, através dos meios legais corretos, apontou um tutor, porém, antes de sua morte, tenha seu poder familiar extinto, a nomeação não perderá seus efeitos e permanecerá sendo válida[320].

A indicação de tutor deverá ser feita através de testamento, escrito público ou particular, o qual deverá ser comprovado a autenticidade, nos termos descritos no próprio inciso[321]. Tendo em vista que a nomeação de tutor pelos pais tem caráter indicativo, competirá ao juiz analisar os fatos e decidir se a criança poderá ser confiada ao tutor indicado, pois, se verificada que o tutor indicado

[317] COELHO, Fábio Ulhoa. op. cit., p. 422
[318] PEREIRA, Caio Mário da Silva. op. cit., p. 525
[319] DINIZ, Maria Helena. Código Civil: anotado, cit., p. 1159
[320] NADER, Paulo. op. cit., p. 568
[321] MADALENO, Rolf. op. cit., p. 683

não assegura o melhor interesse do menor, pode o magistrado seguir o disposto no artigo 1.731 do Código Civil[322].

Esclarece que a nomeação só será válida nos casos em que ambos os pais, titulares do poder familiar, venham a morrer. Caso haja um genitor sobrevivente, este exercerá sozinho o poder familiar[323].

### 2.4.1.7 Representá-los judicial e extrajudicialmente até os 16 (dezesseis) anos, nos atos da vida civil, e assisti-los, após essa idade, nos atos em que forem partes, suprindo-lhes o consentimento

Assegura-se a criança a representação pelos pais nos atos da vida civil, de forma judicial ou extrajudicial, até esta completar 16 anos de idade e a assistência destes após os 16 anos, mas não atingida à maioridade, conforme disposto no inciso VII do artigo 1.634 do Código Civil, o qual será analisado agora.

De acordo com o artigo 3º da lei Civil, os indivíduos menores de 16 anos são considerados absolutamente incapazes, estando impedidos de exercerem quaisquer atos próprios da

322 NADER, Paulo. op. cit., p. 568
323 MADALENO, Rolf. op. cit., p. 683

vida civil[324]. O citado impedimento decorre do ordenamento jurídico que considera que o menor de 16 anos ainda não possui discernimento para praticar determinados atos jurídicos[325]. Logo, a incapacidade absoluta é suprida pela representação do titular do poder familiar, podendo este atuar em negócios jurídicos representando a criança[326]. Os pais deverão representar os interesses do filho desde o momento de sua concepção[327], ou seja, o direito de representação é assegurado ao nascituro, indivíduo de personalidade civil, nos moldes do artigo 2º do CC[328].

Destaca-se que a representação só poderá ser exercida pelo titular do poder familiar, não sendo autorizado qualquer ato civil em nome do menor pelo indivíduo que detenha a guarda de forma simples[329]. De forma atípica, o Estatuto da Criança e do Adolescente, em seu artigo 33, § 2º, estabelece que na falta dos titulares do direito familiar, mediante permissão do magistrado, terá capacidade o guardião do menor de representá-lo em determinados atos[330]:

> Art. 33. A guarda obriga a prestação de assistência material, moral e educacional à criança ou adolescente, conferindo a seu detentor o direito de opor-se a terceiros, inclusive aos pais.

---

324 BRASIL, Código Civil (2002). Brasília, DF: Senado Federal, 2002. Disponível em: <http://www.planalto.gov.br/ccivil_03/leis/2002/L10406.htm>.
325 NADER, Paulo. op. cit., p. 568
326 MADALENO, Rolf. op. cit., p. 683
327 GONÇALVES, Carlos Roberto. Direito civil brasileiro, volume 6: direito de família, cit., p. 367
328 BRASIL, Código Civil (2002). Brasília, DF: Senado Federal, 2002. Disponível em: <http://www.planalto.gov.br/ccivil_03/leis/2002/L10406.htm>.
329 NADER, Paulo. op. cit., p. 569
330 Ibid., p. 569

> [...]
>
> § 2º Excepcionalmente, deferir-se-á a guarda, fora dos casos de tutela e adoção, para atender a situações peculiares ou suprir a falta eventual dos pais ou responsável, podendo ser deferido o direito de representação para a prática de atos determinados[331].

Por consequência, fica claro que a representação trata-se de um dever exclusivo dos pais, titulares do poder familiar, dentre as quais encontra-se a obrigação do exercício da guarda, seja de forma unilateral ou compartilhada, estando sujeitos a responder civilmente de forma objetiva por ato de terceiro[332].

De acordo com o artigo 4º, inciso I do Código Civil, quando o adolescente ultrapassa os 16 anos de idade, mas não atinge os 18 anos, e consequentemente a maioridade, este se torna relativamente incapaz, deixando de ser representado e passando a ser assistido por seus genitores[333]. A assistência consiste na prática de negócios jurídicos pelo adolescente com seus pais atuando de forma conjunta. Nessas hipóteses os pais não substituirão o filho, apenas prestarão assistência e aconselhamento ao adolescente[334].

---

331 BRASIL. Lei n. 8.069, de 13 de julho de 1990. Dispõe sobre o Estatuto da Criança e do Adolescente e dá outras providências. Lex: Estatuto da Criança e do Adolescente. Disponível em: <http::/ /www.planalto.gov.br/ccivil_03/Leis/L8069.htm>.

332 DIAS, Maria Berenice. op. cit., p. 467

333 BRASIL, Código Civil (2002). Brasília, DF: Senado Federal, 2002. Disponível em: <http://www.planalto.gov.br/ccivil_03/leis/2002/L10406.htm>.

333 NADER, Paulo. op. cit., p. 568

334 COELHO, Fábio Ulhoa. op. cit., p. 422

Os atos civis praticados por absolutamente incapaz sem representação dos pais são nulos, da mesma forma que, os negócios jurídicos praticados por relativamente incapazes, sem a assistência de seu representante, são anuláveis[335].

Por fim, o parágrafo único do artigo 142 do ECA e o artigo 1.692 do Código Civil preveem que, caso haja conflito de interesses entre o filho e os pais, ou o menor necessite de representação, caberá ao juiz nomear curador especial, a fim de que a criança ou adolescente defenda seus direitos[336].

### 2.4.1.8 Reclamá-los de quem ilegalmente os detenha

O inciso VIII a ser explorado, refere-se de um resultado do direito de guarda[337]. Como visto anteriormente, os pais tem o direito de terem sua prole em sua guarda e convívio, dessa forma, caso seu filho encontre-se com um terceiro de forma ilegal, devem os ascendentes reclamá-los para si[338].

O dever previsto neste inciso pode ser exercido por um dos pais contra outro titular do poder familiar, desde que este tenha

---

[335] GONÇALVES, Carlos Roberto. Direito civil brasileiro, volume 6: direito de família, cit., p. 366
[336] PEREIRA, Caio Mário da Silva. op. cit., p. 525
[337] Ibid., p. 525
[338] NADER, Paulo. op. cit., p. 570

desrespeitado ou descumprido os direitos de guarda e companhia[339]. A fim de proteger a criança de perigos iminentes ou aspirando que esta encontra-se em lugar nocivo, o direito também poderá ser praticado por um dos titulares do poder familiar, através de ação de busca e apreensão, contra o indivíduo que esteja com a criança de forma legal. Isso ocorre nas hipóteses em que o genitor no exercício de seu direito de visita, leva o menor para ambientes inapropriados, expondo-o a riscos desnecessários[340].

Como supra citado, a ação de busca e apreensão, com medida cautelar, é a ideal à ser aplicada nestes casos[341].

Ressalta-se que a ação de busca e apreensão trata-se de uma medida traumática para criança, principalmente quando ocorre nos casos de pais divorciados[342], por exemplo, por vezes a criança decide deixar o lar do genitor detentor da guarda para ir morar com o outro pai. Nesses casos, o desejo do menor deve ser respeitado, independentemente se agiu por livre e espontânea vontade ou mesmo se foi ludibriado por juras de vantagens, como entrega de presentes do genitor não detentor da guarda, tendo em vista que o interesse da criança sempre deve ser respeitado e que o menor pode ter vontade ou curiosidade de conviver com o outro titular do poder familiar[343]. Silvio de Salvo Venosa pondera que, nessas possibilidades, devem ser

---

339 COELHO, Fábio Ulhoa. op. cit., p. 423
340 NADER, Paulo. op. cit., p. 570
341 PEREIRA, Caio Mário da Silva. op. cit., p. 526
342 VENOSA, Sílvio de Salvo. op. cit., p. 311
343 MADALENO, Rolf. op. cit., p. 685

adotadas soluções mais amistosas, devendo ser movida uma ação de modificação de guarda, com pedido de tutela antecipada[344].

A ação de busca e apreensão se vê mais adequada nos casos em que um terceiro, estranho ou não aos pais, seja através de métodos psicológicos ou físicos, convence ou impede que a criança retorne a guarda e companhia de seus pais. Isto posto, terão os titulares do poder familiar a obrigação e o dever de mover ação de busca e apreensão reivindicando a entrega do filho pelo terceiro que o detenha ilegalmente[345].

Ademais, Carlos Roberto Gonçalves discorre que, *in casu,* a ação de busca e apreensão tem natureza dúplice, tendo em vista que o Tribunal de Justiça do Estado de São Paulo, autonomamente de pedido de modificação de guarda pelo réu, anteriormente assentiu a possiblidade da inversão de guarda, autorizando as partes a produzir provas. Neste seguimento, o Superior Tribunal de Justiça julgou que o pedido de modificação de guarda pode ser requerido na contestação, não sendo necessária a apresentação de reconvenção[346].

### 2.4.1.9 Exigir que lhes prestem obediência, respeito e os serviços próprios de sua idade e condição.

---

[344] VENOSA, Sílvio de Salvo. op. cit., p. 311

[345] MADALENO, Rolf. op. cit., p. 685 apud COMEL, Denise Damo. Do poder familiar. São Paulo: RT, 2003. p. 112

[346] GONÇALVES, Carlos Roberto. Direito civil brasileiro, volume 6: direito de família, cit., p. 367

Primeiramente, cabe ressaltar que no âmbito familiar não há uma subordinação hierárquica, sendo o respeito, disposto no texto legal do inciso IX, último do artigo 1.634, reclamado de forma recíproca entre pais e filhos[347]. Assim, cabe aos filhos o dever de respeitar seus genitores, obedecê-los e colaborar com as tarefas familiares, por meio de afazeres compatíveis com sua condição física e idade[348]. No que tange aos pais, dentre as atribuições do poder familiar, integram a imposição de limites à criança e o incentivo de bons costumes e hábitos, que se não cumpridas, violam direitos intrínsecos a autoridade parental, assim, do mesmo modo, deverão os pais pleitearem de sua prole as referidas condutas previstas no inciso IX, sob pena de descumprimento do poder familiar[349]. Desta maneira, evidencia-se que o objeto do inciso é moldar o caráter do menor, empenhando-se em sua formação moral, ética e educacional, mostrando-lhes as divisas do é certo e do que é errado nos atos à serem futuramente praticados durante sua vida[350].

O cumprimento deste direito por parte dos genitores, isto é, exigir respeito e obediência, é de demasiada importância quanto a criação do filho, tencionando que com o decorrer dos anos e o crescimento do menor, este passa a opor-se as instruções dos pais e

---

347 VENOSA, Sílvio de Salvo. op. cit., p. 311
348 DINIZ, Maria Helena. Código Civil: anotado, cit., p. 1159
349 NADER, Paulo. op. cit., p. 571
350 MADALENO, Rolf. op. cit., p. 686

começa a praticar atos de rebeldia, exigindo dos pais paciência, conforme discorre Fábio Ulhoa Coelho[351]:

> Por características próprias do processo de desenvolvimento do ser humano na sociedade complexa dos nossos tempos, há uma resistência natural por parte do filho à aceitação de sua condição. Contestar os pais é parte inexorável do processo de amadurecimento. As atitudes de rebeldia começam cedo e se acentuam na puberdade. Por mais desgastante que seja para os pais, é função deles enfrentar essas atitudes, exigindo obediência e respeito dos filhos. Parecerá muitas vezes improdutivo e frustrante, mas quem é pai ou mãe não tem outra alternativa: muita paciência não é o suficiente; a paciência há de ser infinita para bastar. Devem insistir na exigência, renová-la, reforçá-la, repeti-la, acentuá-la, reproduzi-la, tornar a ditá-la, confirmá-la, voltar a ela, repô-la, reiterá-la, repisá-la, rememorá-la, repeti-la uma vez mais, até que a atitude de obediência e respeito passe a ser espontânea[352].

Posto isto, em concordância com o que doutrinador cita acima, Rolf Madaleno pondera que em algumas situações a tarefa de educar parece impossível e, devendo os pais proporcionarem ao filho uma criação apropriada, na forma que estes estejam preparados para a vida, devem os genitores repreenderem sua prole, podendo impor-lhes castigos[353]. Sendo assim, deve-se entender castigo como um

---

351 COELHO, Fábio Ulhoa. op. cit., p. 423-424

352 Ibid., p. 423-424

353 MADALENO, Rolf. op. cit., p. 686

direito de correção incidente ao direito de guarda[354], sobretudo devendo fundar-se na abstenção de algo cobiçado pelo menor, a fim de que este compreenda que em casos de desrespeito ou desobediência estará sujeito a consequências desfavoráveis[355].

Contudo, Carlos Roberto Gonçalves afirma que, contanto que empregados de maneira moderada, os pais estão autorizados a aplicar castigos físicos na criança[356]. Porém, castigos físicos, que normalmente devem limitar-se a uma palmada, além de executadas de forma moderada, tem que ser empregue de modo justo e oportuno, com a intenção que a criança compreenda que o objetivo é repreensão por algum erro cometido e não como uma atitude lesiva, causando-lhe insegurança e angústia[357]. Diversamente, Maria Berenice Dias afirma que qualquer forma de aplicação de castigos, independentemente de praticado de forma moderada ou imoderada, foi revogada do Código Civil por intermédio da Lei nº 13.010, de 26 de junho de 2014, conhecida como Lei da Palmada ou Lei do Menino Bernardo, a qual será analisada nos próximos títulos[358]. Apartado à afirmação da doutrinadora, a aplicação de castigos desproporcionais de forma imoderada, ou seja, aqueles que colocam em risco o bem-estar mental e físico da criança e que são aplicados sem o objetivo de

---

354 PEREIRA, Caio Mário da Silva. op. cit., p. 526
355 COELHO, Fábio Ulhoa. op. cit., p. 424-425
356 GONÇALVES, Carlos Roberto. Direito civil, 3, cit., p. 604
357 NADER, Paulo. op. cit., p. 575
358 DIAS, Maria Berenice. op. cit., p. 474

educar, causam a perda do poder familiar conforme artigo 1.638, inciso I do Código Civil[359].

No que diz respeito a prestação de serviços, podem os pais confiarem e requererem seu cumprimento por parte dos filhos, desde que tais tarefas colaborem para seu crescimento como cidadão, sendo vetadas a atribuições de tarefas que violem a lei, que vão contra os bons costume ou que não sejam próprias a idade do menor[360]. Cabe esclarecer que a prestação de serviços a qual o inciso se refere, limita-se as tarefas domésticas, tendo em vista que a Consolidação das Leis do Trabalho (CLT), no artigo 403, proibia o trabalho externo de menor até 16 anos[361], sendo a proibição mantida e consolidada pela reforma trabalhista, através Lei nº 13.467, de 13 de julho de 2017, que adequou a CLT às novas relações de trabalho[362]. Outrossim, segundo Paulo Nader, pressupõem-se uma conduta ética dos pais na aplicação do inciso em debate, não podendo estes imputar tarefas indevidas ou que promovam enorme sacrifício à criança ou adolescente. Do contrário, se empregues deveres conciliáveis com sua idade, os filhos devem sempre respeitar as ordens dos genitores e exercer as obrigações a eles destinadas. Destarte, organização e limpeza da casa,

---

359 MADALENO, Rolf. op. cit., p. 686

360 NADER, Paulo. op. cit., p. 571

361 GONÇALVES, Carlos Roberto. Direito civil brasileiro, volume 6: direito de família, cit., p. 368

362 BRASIL. Lei n. 13.467, de 13 de julho de 2017. Altera a Consolidação das Leis do Trabalho (CLT), aprovada pelo Decreto-Lei no 5.452, de 1o de maio de 1943, e as Leis nos 6.019, de 3 de janeiro de 1974, 8.036, de 11 de maio de 1990, e 8.212, de 24 de julho de 1991, a fim de adequar a legislação às novas relações de trabalho. Disponível em: <http://www.planalto.gov.br/ccivil_03/_ato2015-2018/2017/lei/l13467.htm>.

pagamentos de contas em locais próximos à residência, são algumas das tarefas que podem ser designadas ao menor[363].

Analisados todos os direitos e obrigações elencados no artigo 1.634, que disciplina o exercício do poder familiar quanto à pessoa dos filhos, advém uma analise do dever dos pais quanto aos bens da criança, previsto no artigo 1.689 do Código Civil.

### 2.4.2 Quanto aos bens do filho

Como visto, os pais, titulares do poder familiar, além da responsabilidade quanto a criação e educação da criança, possuem encargos na âmbito patrimonial do filho, devendo zelar pelo patrimônio de sua prole, nos moldes do artigo 1.689 do Código Civil, que incumbe-lhes à administração dos bens da criança e autoriza o usufruto desse patrimônio[364].

Inicialmente, cabe analisar a origem dos bens do menor, que normalmente advêm por doação, por heranças que favorecem a criança ou mesmo por frutos de seu trabalho[365]. Importante destacar que a origem do bem não é relevante para fins de administração dos genitores, da mesma forma que não convêm se o bem é móvel ou imóvel, todos deverão ser administrados pelo titular do poder

---

363 NADER, Paulo. op. cit., p. 571
364 Ibid., p. 571
365 VENOSA, Sílvio de Salvo. op. cit., p. 312

familiar[366], salvo as exceções previstas no artigo 1.693, as quais serão indagadas mais adiante.

Outrossim, o cuidado dos pais quanto aos bens do filho partem das premissas de que o indivíduo que não atingiu a maioridade não tem o discernimento necessário para gerir seu patrimônio[367], e de que, assim como no exercício do poder familiar quanto à pessoa dos filhos, presumisse que os genitores são as pessoas mais capacitadas à dirigir o patrimônio do filho[368], considerando que estes devem administrar os bens na forma de que os interesses do menor incapaz sempre prevaleçam[369]. Isto posto, a criança, além do fato de não possuir um discernimento pleno, está impedida de exercer qualquer ato da vida civil, tendo em vista que a considerada absolutamente incapaz por advento do artigo 3º do Código Civil, alcançando a capacidade civil de forma relativa apenas ao atingir os 16 anos de idade. Dessa forma, competirá aos pais administrar as propriedades do menor, nos termos do inciso II do artigo 1.689 do Código Civil[370]. Ressalta-se que apenas os pais titulares e no exercício de forma plena do poder familiar estarão habilitados à administração e ao usufruto do patrimônio do filho[371].

Analisando que a lei civil não disciplinou a forma como se deve proceder à administração[372], estabeleceu a doutrina que

---

366 LÔBO, Paulo. op. cit., p. 315
367 DIAS, Maria Berenice. op. cit., p. 467
368 VENOSA, Sílvio de Salvo. op. cit., p. 314
369 GAGLIANO, Pablo Stolze; FILHO, Rodolfo Pamplona. op. cit., p. 523
370 VENOSA, Sílvio de Salvo. op. cit., p. 312
371 GAGLIANO, Pablo Stolze; FILHO, Rodolfo Pamplona. op. cit., p. 522
372 DIAS, Maria Berenice. op. cit., p. 468

administração deve ocorrer com decoro, de maneira que sejam assegurados todos os benefícios e direitos da criança[373], sendo os interesses desta salvaguardados[374]. Ademais, limita-se a administração aos atos que tem como objetivo a preservação do bem, bem como pagamento de impostos, manutenção do imóvel, defesa judicial e extrajudicial etc[375]. Visando que a administração do patrimônio do menor ocorre por mandato legal, a legislação não obriga a prestação de contas dos pais ao filho. Entretanto, o titular do poder familiar que exerce a administração do patrimônio ao mesmo tempo em que exerce a guarda da criança de forma unilateral, conforma artigo 1.583, §5º do CC, deverá prestar contas ao outro genitor não guardião[376]. Caso o outro pai discorde da forma de administração e não existindo concordância com o outro genitor, poderá recorrer ao judiciário requerendo a modificação na forma da administração[377].

Apreciando que a administração tem como destinação a preservação dos interesses da criança, o artigo 1.691 restringiu a autossuficiência dos titulares do poder familiar na administração do patrimônio do menor[378]:

> Art. 1.691. Não podem os pais alienar, ou gravar de ônus real os imóveis dos filhos, nem contrair, em nome deles, obrigações que ultrapassem os limites da simples administração, salvo por necessidade ou

373 NADER, Paulo. op. cit., p. 572
374 GAGLIANO, Pablo Stolze; FILHO, Rodolfo Pamplona. op. cit., p. 523
375 VENOSA, Sílvio de Salvo. op. cit., p. 312
376 DIAS, Maria Berenice. op. cit., p. 468
377 NADER, Paulo. op. cit., p. 572
378 GAGLIANO, Pablo Stolze; FILHO, Rodolfo Pamplona. op. cit., p. 523-524

> evidente interesse da prole, mediante prévia autorização do juiz[379].

Portanto, somente sob autorização judicial, poderão os genitores contrair obrigações que extrapolem a administração do bem, gravarem de ônus real ou alienarem os imóveis a qual gerenciam[380]. O requerimento ao juiz deve comprovar a necessidade da alienação ou de qualquer outro encargo previsto no referido artigo, e que esta se dará apenas para serventia do menor[381]. O pleito deve ser realizado em nome de ambos os pais titulares do poder familiar. A oneração ou alienação realizada sem autorização judicial é considerada nula[382].

No que tange ao inciso I do artigo em análise, são os titulares do poder familiar os usufrutuários legais dos bens do filho[383], isto é, tem o direito de usar, possuir e auferir os frutos que provirem do bem, em compensação, obrigam-se a realizar periodicamente a manutenção do bem a fim de conservá-lo, suportar o pagamento de tributos e se responsabilizar por detrimentos que ocorrerem durante o exercício do usufruto[384]. O usufruto dos bens da criança, podendo cair sobre o patrimônio móvel ou imóvel[385], é inerente ao poder familiar[386], dessa forma, são indisponíveis, impenhoráveis e, em caso

---

379 BRASIL, Código Civil (2002). Brasília, DF: Senado Federal, 2002. Disponível em: <http://www.planalto.gov.br/ccivil_03/leis/2002/L10406.htm>.
380 LÔBO, Paulo. op. cit., p. 316
381 DIAS, Maria Berenice. op. cit., p. 469
382 LÔBO, Paulo. op. cit., p. 316
383 DIAS, Maria Berenice. op. cit., p. 468
384 LÔBO, Paulo. op. cit., p. 315
385 NADER, Paulo. op. cit., p. 572
386 VENOSA, Sílvio de Salvo. op. cit., p. 314

de bem imóvel, não se submetem a registro público. Igualmente, por existirem em decorrência de lei, não há a necessidade de sentença judicial ou declaração de vontade[387]. A inerência do usufruto ao poder familiar apoia-se em duas vertentes, sendo uma de que os rendimentos percebidos pelos pais compensariam os gastos deste com a criação do filho[388]. Tal vertente é totalmente repudiada por Maria Berenice Dias, que analisa que não podem os titulares do poder familiar perceberem todos os frutos, tendo em vista que o usufruto é instaurado visando a comodidade e o bem-estar da criança e, assim, os pais devem ficar somente com o necessário para equilibrarem os gastos familiares[389]. Posto isto, a segunda vertente que discorre que todos os membros da família devem compartilhar de seus bens em prol da entidade familiar, é a que melhor se enquadra nos moldes das atuais relações de família[390].

O artigo 1.693 do Código Civil prevê as hipóteses de bens excluídos da administração e do usufruto do titular do poder familiar:

> Art. 1.693. Excluem-se do usufruto e da administração dos pais:
>
> I - os bens adquiridos pelo filho havido fora do casamento, antes do reconhecimento;
>
> II - os valores auferidos pelo filho maior de dezesseis anos, no exercício de atividade profissional e os bens com tais recursos adquiridos;

387 NADER, Paulo. op. cit., p. 572
388 VENOSA, Sílvio de Salvo. op. cit., p. 314
389 DIAS, Maria Berenice. op. cit., p. 468
390 VENOSA, Sílvio de Salvo. op. cit., p. 314

> III - os bens deixados ou doados ao filho, sob a condição de não serem usufruídos, ou administrados, pelos pais;
>
> IV - os bens que aos filhos couberem na herança, quando os pais forem excluídos da sucessão[391].

Em rápida análise, assim como as demais atribuições do poder familiar, o citado artigo tem como finalidade a proteção da criança e de seus bens, precavendo qualquer forma de aproveitamento pelos pais na forma que venham a dar causa a deterioração do patrimônio do filho[392]. Como pode-se observar, o inciso I visa prevenir que o reconhecimento tardio do filho motive-se apenas pelo proveito nos bens da criança[393]. O inciso II consolida como bens reservados aqueles adquiridos pelo filho com seu trabalho, firmando estes como indisponíveis para administração[394]. É autorizado ao testador ou doador opor-se a administração ou usufruto do bem por terceira pessoa estranha ao beneficiário, por consequência, o inciso III assentou essa autorização[395]. Por último, o inciso IV aparta dos direitos previstos no artigo 1.689 os pais excluídos da sucessão por deserdação ou indignidade[396].

Finalmente, a administração e o usufruto pelos pais conservam-se pelo tempo que perdurar a incapacidade absoluta, ou

---

[391] B RASIL, Código Civil (2002). Brasília, DF: Senado Federal, 2002. Disponível em: <http://www.planalto.gov.br/ccivil_03/leis/2002/L10406.htm>.
[392] NADER, Paulo. op. cit., p. 572
[393] LÔBO, Paulo. op. cit., p. 317
[394] DIAS, Maria Berenice. op. cit., p. 469
[395] VENOSA, Sílvio de Salvo. op. cit., p. 315
[396] COELHO, Fábio Ulhoa. op. cit., p. 430

seja, até a criança completar 16 anos. Alcançada a capacidade relativa, quando o adolescente encontra-se entre a idade de 16 e 18 anos, caberá aos pais apenas prestar assistência ao filho[397], sendo os negócios jurídicos realizados pelo genitor, sem o aval do adolescente, considerados anuláveis[398].

## 2.5 EXTINÇÃO DO PODER FAMILIAR

Conceituado, caracterizado, apresentado os titulares e executores do poder familiar, deve-se agora apresentar as formas e as realizações que originam a extinção do poder familiar. Incialmente, cabe a observação que a extinção apenas restringe do titular do poder familiar o direito de administrar e coordenar os bens e a vida da criança, permanecendo os vínculos familiares íntegros[399]. Nesse seguimento, o artigo 1.635 do Código Civil apresenta as condições de extinção do poder:

> Art. 1.635. Extingue-se o poder familiar:
>
> I - pela morte dos pais ou do filho;
>
> II - pela emancipação, nos termos do art. 5o, parágrafo único;
>
> III - pela maioridade;

[397] Ibid., p. 427
[398] NADER, Paulo. op. cit., p. 569
[399] Ibid., p. 573

IV - pela adoção;

V - por decisão judicial, na forma do artigo 1.638[400].

Considerando a enorme importância do poder familiar ao direito de família, uma vez que este se relaciona com direitos fundamentais e, que o impedimento de seu exercício afronta-se com esses direitos, por óbvio, tal assunto deve ser tratado com intensa cautela, logo, realça-se que o rol apresentado acima é taxativo, não sendo aceitas outras formas de extinção do poder familiar sem ser as elencadas no artigo 1.635[401].

De acordo com Paulo Nader, os citados modos de extinção subdividem-se em três categorias, sendo: a) extinção por fato natural, que engloba os incisos I e III, que preveem a extinção por morte das partes ou consecução da maioridade pelo filho; b) extinção por ato voluntário, que ocorre nos casos de emancipação ou adoção, preditos nos incisos II e IV, respectivamente; e c) suspensão ou perda por sentença judicial, que dá-se quando os titulares do poder familiar tem seu poder suspenso ou destituído por razão de decisão judicial, nos termos do inciso V[402].

Logo, as justificativas de extinção do poder familiar encontram-se elencadas no artigo 1.635. O inciso I do artigo citado prevê a perda do poder familiar no caso de falecimento dos pais, considerando que o falecimento dos genitores faz com que

---

400 BRASIL, Código Civil (2002). Brasília, DF: Senado Federal, 2002. Disponível em: <http://www.planalto.gov.br/ccivil_03/leis/2002/L10406.htm>.
401 LÔBO, Paulo. op. cit., p. 305
402 NADER, Paulo. op. cit., p. 573

desapareça um dos polos titulares do poder familiar[403]. Aponta-se que o poder familiar se extingue somente no caso de morte de ambos os pais. Havendo um genitor sobrevivente, todos os direitos e obrigações decorrentes do poder familiar serão concentrados neste[404]. A criança ou adolescente será colocada sob o regime de tutela na hipótese de falecimento de ambos os pais, sendo desimportante se ocorreu de forma sucessiva ou concorrente[405].

Com a morte do filho, cessa-se a relação jurídico-vinculativa do poder familiar. Consequentemente e de forma natural, extingue-se a autoridade parental[406].

A segunda forma de extinção do poder familiar, previsto no inciso II, se dá pela emancipação, que se trata da aquisição da capacidade civil antes do adolescente atingir 18 anos de idade[407]. Paulo Lôbo discorre sobre emancipação da seguinte forma:

> A emancipação é o ato de vontade dos pais para que o filho maior de 16 anos e menor de 18, atinja e exerça a plenitude da capacidade negocial. A emancipação se faz por instrumento público, sem necessidade de homologação judicial[408].

---

403 GONÇALVES, Carlos Roberto. Direito civil brasileiro, volume 6: direito de família, cit., p. 371
404 DIAS, Maria Berenice. op. cit., p. 473
405 NADER, Paulo. op. cit., p. 573
406 PEREIRA, Caio Mário da Silva. op. cit., p. 530
407 DINIZ, Maria Helena. Curso de direito civil brasileiro, volume 5, cit., p. 583
408 LÔBO, Paulo. op. cit., p. 306

Isto posto, o adolescente emancipado tem os mesmo direitos daquele que alcançou a maioridade, acarretando, assim, o fim do poder familiar[409].

Da mesma forma que o inciso anterior, o inciso III estabelece que ao completar 18 anos de idade, o adolescente atinge a maioridade e adquire capacidade para exercer por si só os atos da vida civil, dessa maneira provocando a extinção do poder familiar por fato jurídico *stricto sensu*[410]. A maioridade destacada no texto legal do inciso III em análise, abrange as demais formas de aquisição da capacidade civil previstas no artigo 5º do Código Civil, aspirando que não faria sentido o adolescente permanecer sob a proteção do poder familiar podendo, por exemplo, se casar[411]. A extinção do poder familiar por maioridade não desobriga a prestação de alimentos pelos pais[412].

A extinção do poder familiar no caso de adoção, prevista no inciso IV, atinge apenas aos genitores naturais da criança[413], avaliando que a adoção rompe o parentesco original de forma definitiva[414]. Sendo assim, o exercício do direito parental é transferido aos pais adotivos[415].

Em suma, nos moldes do inciso V, tem-se a extinção do poder familiar por decisão judicial, conforme estabelecido no artigo

---

409 NADER, Paulo. op. cit., p. 574
410 Ibid., p. 573-574
411 LÔBO, Paulo. op. cit., p. 306
412 NADER, Paulo. op. cit., p. 574
413 GONÇALVES, Carlos Roberto. Direito civil brasileiro, volume 6: direito de família, cit., p. 371
414 DIAS, Maria Berenice. op. cit., p. 473
415 VENOSA, Sílvio de Salvo. op. cit., p. 317

1.638 do Código Civil, o qual será inquirido em um dos próximos títulos. Entretanto, previamente, passa-se a examinar as causas de suspensão do poder familiar.

### 2.5.1.1 Suspensão do poder familiar

Aos pais que descumprirem as obrigações e deveres próprios ao exercício do poder familiar, o Código Civil prevê outra forma de sanção, que se trata da suspensão do poder familiar, conforme artigo 1.637:

> Art. 1.637. Se o pai, ou a mãe, abusar de sua autoridade, faltando aos deveres a eles inerentes ou arruinando os bens dos filhos, cabe ao juiz, requerendo algum parente, ou o Ministério Público, adotar a medida que lhe pareça reclamada pela segurança do menor e seus haveres, até suspendendo o poder familiar, quando convenha.
>
> Parágrafo único. Suspende-se igualmente o exercício do poder familiar ao pai ou à mãe condenados por sentença irrecorrível, em virtude de crime cuja pena exceda a dois anos de prisão[416].

Nesse seguimento, o artigo 24 do Estatuto da Criança e do Adolescente consolida a suspensão do poder familiar:

---

416 BRASIL, Código Civil (2002). Brasília, DF: Senado Federal, 2002. Disponível em: <http://www.planalto.gov.br/ccivil_03/leis/2002/L10406.htm>.

> Art. 24. A perda e a suspensão do poder familiar serão decretadas judicialmente, em procedimento contraditório, nos casos previstos na legislação civil, bem como na hipótese de descumprimento injustificado dos deveres e obrigações a que alude o art. 22[417].

O ECA também disciplina o tema em seu capítulo III, seção II, que se inicia no artigo 155[418], estabelecendo que durante o processo de suspensão, a seção garante o direito à ampla defesa e ao princípio do contraditório aos pais[419].

Pode-se observar que o artigo 1.637 do Código Civil unicamente indica de forma indistinta alguns casos em que a suspensão do poder familiar pode ser aplicada, de forma que não se trata de um rol taxativo[420]. Outrossim, verifica-se que o artigo não limita o juiz apenas a aplicação de suspensão na ocorrência das hipóteses elencadas no artigo, mas o autoriza a aplicação de outras medidas que visem o bem-estar da criança e o pleno exercício do poder familiar[421].

---

417 BRASIL. Lei n. 8.069, de 13 de julho de 1990. Dispõe sobre o Estatuto da Criança e do Adolescente e dá outras providências. Lex: Estatuto da Criança e do Adolescente. Disponível em: <http::/ /www.planalto.gov.br/ccivil_03/Leis/L8069.htm>.

418 BRASIL. Lei n. 8.069, de 13 de julho de 1990. Dispõe sobre o Estatuto da Criança e do Adolescente e dá outras providências. Lex: Estatuto da Criança e do Adolescente. Disponível em: <http:/ /www.planalto.gov.br/ccivil_03/Leis/L8069.htm>.

419 NADER, Paulo. op. cit., p. 579

420 Ibid., p. 578

421 GONÇALVES, Carlos Roberto. Direito civil brasileiro, volume 6: direito de família, cit., p. 374

Assim, estará sujeito à suspensão do direito familiar o pai ou a mãe que agir com abuso de autoridade, ou seja, tencionando que a autoridade empregada aos pais tem como finalidade administrar a criação da criança, caso o ascendente submeta o menor a martírios prescindíveis, impondo a este obrigações inadequadas ao seu tipo físico ou idade, estará sujeito a ter seu poder suspenso. Da mesma maneira, o abuso de autoridade também é caracterizado quando os pais privam a criança de qualquer modo de diversão, obstando o contato com outras crianças ou proibindo-a de sair de casa[422]. Além da sanção civil, o genitor que abusar de sua autoridade, encontrar-se-á suscetível a sanção prevista no artigo 232 do ECA, que estipula a detenção, pelo período de seis meses a dois anos, do titular do poder que cometer a referida violação[423].

A suspensão familiar também se dá nas hipóteses em que os genitores faltam com os deveres inerentes aos direitos fundamentais e ao poder familiar, elencados no artigo 7º e seguintes do ECA, tal como educação e alimentação, independentemente de agirem de maneira omissa ou comissiva[424]. Pondera-se que, conforme discrimina o artigo 23 do Estatuto da Criança e do Adolescente, a carência de recursos materiais não é motivo para suspensão do poder familiar[425], posto que, a despeito do poder familiar obrigar os genitores a proverem seus filhos, não terão seu poder interrompido por

422 NADER, Paulo. op. cit., p. 578
423 LÔBO, Paulo. op. cit., p. 308
424 NADER, Paulo. op. cit., p. 578
425 MADALENO, Rolf. op. cit., p. 696

decorrência de dificuldades financeiras[426]. Maria Helena Diniz afirma que terão o poder suspenso os pais que privarem dolosamente a criança de alimentação ou os deixarem em estado de libertinagem ou vadiagem[427].

Concluindo, o artigo 1.637 determina a suspensão do poder familiar no caso do genitor arruinar os bens dos filhos, vez que esses estão sob sua administração. Irrelevante o fato de a ruina ter ocorrido com dolo, má-fé ou incompetência do pai, sendo relevante somente o resultado, que se trata da perda de valores imobiliários ou financeiros[428]. O requerimento para suspensão do poder por esse motivo poderá ser feito pelo Ministério Público ou por algum parente do menor

Não há a necessidade que a prática de algum dos feitos acima citados ocorra de forma repetitiva ou permanente, bastando à ocorrência por uma vez só de um desses para que o juiz determine a suspensão[429], que poderá decorrer de forma integral ou parcial, privando os titulares de exercerem determinados atos do poder familiar[430].

A suspensão do dever e do exercício do poder familiar trata-se de medida menos gravosa e não finalística[431], sendo aplicada pelo

---

426 DIAS, Maria Berenice. op. cit., p. 471
427 DINIZ, Maria Helena. Curso de direito civil brasileiro, volume 5, cit., p. 576
428 NADER, Paulo. op. cit., p. 578
429 GONÇALVES, Carlos Roberto. Direito civil brasileiro, volume 6: direito de família, cit., p. 375
430 LÔBO, Paulo. op. cit., p. 307
431 MADALENO, Rolf. op. cit., p. 695

juiz quando os pais cometerem faltas de com baixa onerosidade[432]. A referida sanção tem o objetivo de proteger o menor e não de castigar os genitores[433]. Por se tratar de medida alternativa e sujeita a revisão, é empregada como solução judicial, na forma que o magistrado, ao verificar que findaram-se as causas que originaram a sanção, poderá cancelar a suspensão do poder familiar[434], voltando o pai a exercer de forma plena o direito[435]. Ressalta-se que, antes de cancelar a suspensão, deverá o juiz avaliar o que melhor favorecer o interesse da criança[436] e, o genitor que retomou o poder deverá ser submetido à avaliação psicológica ou mesmo, por determinação judicial, obrigado a realizar acompanhamento terapêutico[437].

Prevê o parágrafo único do artigo 1.637 do Código Civil que o poder familiar será suspenso quando os titulares do direito forem condenados penalmente à prisão pelo período que supere dois anos, devendo a sentença ter transitado em julgado[438]. Contudo, Maria Berenice Dias, considerando que pais e mães encarcerados tem o direito a convivência com seus filhos assegurada pelo artigo 19, § 4º do ECA, afirma que o referido parágrafo está revogado[439]. Além

---

432 NADER, Paulo. op. cit., p. 578

433 GONÇALVES, Carlos Roberto. Direito civil brasileiro, volume 6: direito de família, cit., p. 375

434 DIAS, Maria Berenice. op. cit., p. 471

435 LÔBO, Paulo. op. cit., p. 307

436 DIAS, Maria Berenice. op. cit., p. 471

437 MADALENO, Rolf. op. cit., p. 696

438 BRASIL, Código Civil (2002). Brasília, DF: Senado Federal, 2002. Disponível em: <http://www.planalto.gov.br/ccivil_03/leis/2002/L10406.htm>.

439 DIAS, Maria Berenice. op. cit., p. 472. BRASIL. Lei n. 8.069, de 13 de julho de 1990. Dispõe sobre o Estatuto da Criança e do Adolescente e dá outras providências. Lex: Estatuto da Criança e do Adolescente. Disponível em: <http:://www.planalto.gov.br/ccivil_03/Leis/L8069.htm>.

disso, discorre a doutrinadora que o genitor condenado à citada pena de prisão, necessariamente não a cumprirá na forma de privação de liberdade, tendo em vista que, nos termos do artigo 33, § 2º, c do Código Penal, logo que não reincidente, poderá cumprir a pena em regime aberto, além de a pena poder ser substituída por pena restritiva de direito, conforme artigo 44 do CP. Outrossim, mães privadas da liberdade podem ficar na companhia do filho ao tempo que estes possuírem tenra idade, intentando que alguns complexos penitenciários já possuem creches. Maria Berenice Dias finaliza seu ponto de vista enfatizando que, uma vez que, nos moldes do artigo 23, §2º do ECA, a destituição do poder familiar não está implícita nas condenações penais, a suspensão se aplicada, ocorrerá de modo incongruente, posto que sempre deverá ser observado o interesse do menor[440]. Salienta-se que nos casos de crimes auferidos de forma dolosa contra a criança, o Código Penal, em seu artigo 93, impede a devolução do poder familiar aos pais destituídos[441].

Destaca-se ainda que se a condenação penal for derivada de atos cometidos contra a moral e aos bons costumes, a sanção prevista pelo Código Civil em seu artigo 1.638, inciso III será a extinção do poder familiar. Destituição do poder também ocorrerá, no teor do inciso I do mesmo artigo, se a sanção originar-se de aplicação de castigos imoderados[442].

---

440 DIAS, Maria Berenice. op. cit., p. 471-472
441 LÔBO, Paulo. op. cit., p. 307
442 NADER, Paulo. op. cit., p. 579

O poder familiar será concentrado em um dos genitores caso o outro tenha seu poder suspenso[443]. Assim, o menor não ficará desemparado em caso de suspensão do poder, visando que ficará sob o os cuidados do outro genitor titular do poder familiar, ou nos casos que ambos os pais tiverem seu poder suspenso, o juiz designará um tutor ou colocará o menor sob guarda provisória[444]. Ademais, a suspensão do poder não desobriga os genitores de prestarem alimentos, que deverão ser fixados cautelarmente pelo juiz quando evidenciados maus-tratos, abuso sexual ou opressão, conforme determina o parágrafo único do artigo 130[445]. Outrossim, a suspensão pode atingir todos os filhos dos pais ou apenas um em específico, ficando a decisão a cargo do juiz[446], da mesma forma que este deverá determinar o tempo de suspensão, vez que não há previsão legal[447].

Por fim, esclarece que a suspensão tem a intenção de zelar pelo princípio da maior proteção, tendo em vista que não seria correto com os genitores ter seu poder familiar destituído por quaisquer razões[448].

### 2.5.1.2 Destituição do poder familiar

443 LÔBO, Paulo. op. cit., p. 307
444 NADER, Paulo. op. cit., p. 579
445 Ibid., p. 579
446 DINIZ, Maria Helena. Curso de direito civil brasileiro, volume 5, cit., p. 576
447 GONÇALVES, Carlos Roberto. Direito civil brasileiro, volume 6: direito de família, cit., p. 375
448 NADER, Paulo. op. cit., p. 578

Em contrapartida à suspensão do familiar, tem-se a destituição ou perda do referido direito, que versa-se de medida mais onerosa, devendo ser aplicada com excepcional cautela e exclusivamente em casos que reste comprovado riscos à criança se permanecer sob os cuidados dos ascendentes[449]. Nesse seguimento, trata-se a perda do poder familiar de medida de consequências e desdobramentos extensos, tanto para prole, tanto para os genitores, vez que possui características de sanção civil[450].

A perda do poder familiar se dará por sentença judicial nos termos do já citado inciso V do artigo 1.635 do Código Civil. O magistrado deverá identificar o cometimento das faltas indicadas no artigo 1.638 pelos genitores, para fundamentar a sentença que destitui o poder familiar:

> Art. 1.638. Perderá por ato judicial o poder familiar o pai ou a mãe que:
>
> I - castigar imoderadamente o filho;
>
> II - deixar o filho em abandono;
>
> III - praticar atos contrários à moral e aos bons costumes;
>
> IV - incidir, reiteradamente, nas faltas previstas no artigo antecedente.

---

449 LÔBO, Paulo. op. cit., p. 308

450 GAGLIANO, Pablo Stolze; FILHO, Rodolfo Pamplona. op. cit., p. 524

> V - entregar de forma irregular o filho a terceiros para fins de adoção[451].

Inicialmente, cabe à ressalva imposta pela doutrinadora Maria Berenice Dias, que afirma que o rol supracitado é apenas exemplificativo, sendo permitido ao juiz destituir o poder familiar de pais que ajam de forma que possam prejudicar o interesse do filho, independentemente de tal ato constar no referido rol. Como exemplo, a doutrinadora cita os casos de destituição do direito quando os pais são moradores de rua[452].

O inciso I, que é intensamente debatido pela doutrina, estabelece que perderá o poder familiar o genitor que castigar seu filho de forma imoderada. Fato é que o legislador ao elaborar o referido inciso reconheceu de forma implícita o castigo moderado, contrariando o artigo 227 da Constituição Federal que obriga os pais a manterem seus filhos afastados de qualquer tipo de violência[453]. Posto isto, Paulo Nader sustenta que repreensões moderadas são fundamentais para formação do menor:

> a arte de criar e educar os filhos comporta castigos moderados, justos e oportunos. Às vezes a palmada, na medida e hora certas, contribui para a conscientização do erro e do propósito de se corrigir. Mas a reprimenda deve ser moderada[454].

---

451 BRASIL, Código Civil (2002). Brasília, DF: Senado Federal, 2002. Disponível em: <http://www.planalto.gov.br/ccivil_03/leis/2002/L10406.htm>.
452 DIAS, Maria Berenice. op. cit., p. 472-473
453 LÔBO, Paulo. op. cit., p. 308-309
454 NADER, Paulo. op. cit., p. 575

Em contrapartida, alguns doutrinadores entendem que na atual conjuntara da sociedade é inaceitável a aplicação pelos pais de qualquer forma de castigo, não importando se é de maneira moderada ou imoderada, posição esta que é defendida veemente por Maria Berenice Dias:

> A vedação ao castigo imoderado (CC 1.638 1) revelava, no mínimo, tolerância para com o castigo moderado. O castigo físico afronta um punhado de normas protetoras de crianças e adolescentes, que desfrutam do direito fundamental à inviolabilidade da pessoa humana, que também é oponível aos pais[455].

Nesse sentido, Carlos Roberto Gonçalves afirma que a violência está presente em todo tipo de castigo: "Não resta dúvida de que todo castigo físico configura violência à integridade física da criança ou adolescente e mesmo ofensa à sua dignidade[456]".

De fato, apesar de a sociedade durante um longo período histórico entender o castigo como *jus corrigendi*[457] e ser conivente com sua aplicação[458], a partir de 26 de junho de 2014, data em que foi sancionada a Lei nº 13.010, qualquer forma de castigo físico passou a ser proibida[459]. A referida lei, que é conhecida como Lei da Palmada ou Lei Menino Bernardo, proibi a violência por parte de qualquer pessoa incumbida da educação, proteção, cuidado ou que possua

455 DIAS, Maria Berenice. op. cit., p. 474
456 GONÇALVES, Carlos Roberto. Direito civil brasileiro, volume 6: direito de família, cit., p. 372
457 Ibid., p. 373
458 MADALENO, Rolf. op. cit., p. 692
459 GONÇALVES, Carlos Roberto. Direito civil, 3, cit., p. 604

algum vinculo afetivo com o menor[460], estando estes sujeitos a sanções legais, tais como advertências e tratamento psicológico[461].

Deixar o filho em abandono, previsto no inciso II, baseia-se no direito constitucional que garante ao menor à convivência familiar, nos termos do artigo 227 da Constituição Federal[462]. Isto posto, tal inciso visa coibir que o menor fique desamparado materialmente e afetivamente[463], isto é, caracteriza-se abandono quando o pai, apesar de assessorar materialmente o menor, não constrói vínculos emocionais com ele[464]. Nesse seguimento, fica claro que não há a necessidade de o abandono ter ocorrido de forma intencional[465]. Desse modo, Paulo Nader elenca e discorre sobre as formas de abandono:

> Há, portanto, formas diversas de abandono: o físico em que o genitor se desfaz do filho; o assistencial, quando deixa de prover as necessidades de sustento e saúde; o intelectual, ao não encaminhá-lo à escola; o moral, quando não proporciona atenção, carinho ao

460 BRASIL. Lei n. 13.010, de 26 de junho de 2014. Altera a Lei no 8.069, de 13 de julho de 1990 (Estatuto da Criança e do Adolescente), para estabelecer o direito da criança e do adolescente de serem educados e cuidados sem o uso de castigos físicos ou de tratamento cruel ou degradante, e altera a Lei no 9.394, de 20 de dezembro de 1996. Disponível em: <http://www.planalto.gov.br/ccivil_03/_Ato2011-2014/2014/Lei/L13010.htm>.

461 DIAS, Maria Berenice. op. cit., p. 475

462 BRASIL, Constituição (1988). Constituição da República Federativa do Brasil. Brasília, DF: Senado Federal, 1988. Disponível em: <http://www.planalto.gov.br/ccivil_03/constituicao/constituicaocompilado.htm>

463 GONÇALVES, Carlos Roberto. Direito civil brasileiro, volume 6: direito de família, cit., p. 372

464 NADER, Paulo. op. cit., p. 576

465 LÔBO, Paulo. op. cit., p. 309

> filho, desconsiderando o vínculo no plano da afetividade[466].

A destituição do poder familiar deve ser auferida em casos atípicos quando se tratar de abandono[467], tendo em vista que vários casos, o abandono ocorre de relações familiares monoparentais, quando a mãe solteira, sem condições de sustentar sua prole, o abandona fisicamente[468]. Nos casos em que o abandono decorreu de dificuldades materiais, favorece-se o emprego de medidas como suspensão ou modificação de guarda, possibilitando assim, a reintegração da criança ao núcleo familiar. Destaca-se que para recolocação da criança no seu ambiente familiar, aconselha-se o estudo social[469].

Outrossim, além de sujeito à sanção civil, o genitor que abandona sua prole sujeita-se a penalidades na esfera penal, que antevê crimes nos casos de abandono material, intelectual, moral, de incapaz e de recém-nascido, conforme artigos 244, 245, 246, 133 e 134 do Código Penal, respectivamente[470].

A prática de atos contrários à moral e aos bons costumes, previsto no inciso III, se dá nos casos em que os ascendentes desrespeitam os costumes e valores exigidos pela sociedade[471].

---

466 NADER, Paulo. op. cit., p. 576
467 LÔBO, Paulo. op. cit., p. 309
468 NADER, Paulo. op. cit., p. 576
469 LÔBO, Paulo. op. cit., p. 309
470 GONÇALVES, Carlos Roberto. Direito civil brasileiro, volume 6: direito de família, cit., p. 372
471 NADER, Paulo. op. cit., p. 577

Carlos Roberto Gonçalves discorre que o lar da criança trata-se da escola responsável por formar sua personalidade[472]. Assim, uma vez que os filhos se espelham em seus genitores, tem estes à obrigação de medirem seus atos e agirem de forma responsável a fim de que seu filho cresça em um ambiente ético e cercado de bons exemplos[473]. Nesse aspecto, a casa onde se convive com vadiagem, alcoolismo, uso de drogas e libertinagem, resta evidenciado a prática de atos contrários à moral e aos bons costumes[474]. Entretanto, não deve o juiz se valer de valores subjetivos pessoais ao aplicar o referido inciso, sendo obrigado a basear-se nos costumes predominantes na sociedade, no atual tempo e espaço. Caso o juiz aja de forma contrária ao disposto, configurará abuso de sociedade[475].

O inciso IV estabelece a perda do poder familiar nos casos de reiteração das faltas causadoras da suspensão do poder familiar analisadas no título anterior. Porém, Rolf Madaleno pondera que não são todas as faltas causadoras da suspensão familiar que reprisadas acarretam na perda do direito, considerando que, por exemplo, nos casos de reiteração de abuso de autoridade, a destituição do poder familiar seria sanção desproporcional a violação. Dessa forma, cabe ao magistrado analisar a reiteração e aplicar a sanção de acordo com o interesse do menor[476].

---

472 GONÇALVES, Carlos Roberto. Direito civil brasileiro, volume 6: direito de família, cit., p. 373

473 MADALENO, Rolf. op. cit., p. 693

474 GONÇALVES, Carlos Roberto. Direito civil brasileiro, volume 6: direito de família, cit., p. 373

475 LÔBO, Paulo. op. cit., p. 309

476 MADALENO, Rolf. op. cit., p. 694

Enfim, estará sujeito a perda do poder familiar o genitor que entregar de forma irregular sua prole para adoção, nos moldes do inciso V do artigo em análise.

Identificadas as violações elencadas no artigo, qualquer pessoa com legal interesse tem legitimidade para denunciar os ascendentes, podendo ainda o Ministério Público, por intermédio de seu representante, denunciar as referidas faltas, desde que tenha recebido as provas ou estas sejam de conhecimento público. O Conselho Tutelar, nos termos do inciso XI do artigo 136 do ECA, pode representar o Ministério Público nas ações de destituição ou suspensão do poder familiar[477].

O juiz, pautando-se no artigo 70 do ECA, pode determinar a destituição do poder familiar, vez que há indicações de desrespeito aos direitos, violência ou riscos ao patrimônio da criança, dessa forma, agindo de forma preventiva[478].

Assim, como todos os deveres e obrigações inerentes ao poder familiar, o interesse da criança sempre prevalecerá, devendo outras medidas serem adotadas antes da perda do poder familiar, tal como a suspensão do direito[479].

Por se tratar de medida imperativa, a perda do poder familiar atinge todos os filhos do genitor destituído[480], vez que representa um reconhecimento judicial de que o ascendente é incapaz de exercer o

477 NADER, Paulo. op. cit., p. 575
478 PEREIRA, Caio Mário da Silva. op. cit., p. 534
479 LÔBO, Paulo. op. cit., p. 308
480 DINIZ, Maria Helena. Curso de direito civil brasileiro, volume 5, cit., p. 577

poder familiar[481]. Ademais, a destituição tem que ser contida sempre que ficar claro que trará à criança mais detrimento do que vantagens[482].

Conclui-se que, da mesma forma a suspenção, a perda do poder familiar tem como objeto proteger as crianças de condutas censuráveis que possam vir a ser cometidas por seus pais[483], assim, identificada a prática de alienação parental, considerando que esta nada mais é que uma forma de abuso, que põem em risco o desenvolvimento da criança e sua saúde psíquica e emocional, o genitor alienado deverá ser responsabilizado, podendo ter seu poder familiar suspenso ou até mesmo destituído[484].

---

481 DIAS, Maria Berenice. op. cit., p. 474

482 LÔBO, Paulo. op. cit., p. 308

483 GAGLIANO, Pablo Stolze; FILHO, Rodolfo Pamplona. op. cit., p. 525

484 DIAS, Maria Berenice. Alienação parental e a perda do poder familiar. Disponível em: <http://www.mariaberenice.com.br/manager/arq/(cod2_502)3__alienacao_parental_e_a_perda_do_poder_familiar.pdf>.

# CAPÍTULO III
# ALIENAÇÃO PARENTAL

---

## 3.1 CONCEITO

Como analisado nos capítulos anteriores, a família é fundamental para o desenvolvimento sadio e moral da criança e que a ausência de um núcleo familiar consistente, isto é, não só do ponto de vista material, mas também do progresso das relações de afeto e carinho, dão origem a transtornos e carências que irão prosseguir com o menor por toda sua vida e, consequentemente, refletir na sociedade.

Posto isto, o renomado médico Drauzio Varella, em sua análise sobre as causas e consequências dos altos índices de violência urbana no Brasil, baseando-se em estudos científicos, além de sua vasta experiência no convívio com o que o próprio médico intitula como "mundo marginal", vez que desde 1989 exerce trabalho voluntário em casas de detenção, aponta três fatores de riscos que comprovadamente explicam a violência e que, infelizmente, fazem parte da vida de milhões de crianças e adolescentes brasileiras, sendo o primeiro destes fatores a infância negligenciada, na qual se refere a crianças que, além de maltratadas e agredidas, não auferem os devidos cuidados familiares, tais como atenção e carinho. O segundo fator trata-se da não imposição de limites à criança ou adolescente e, por fim, o terceiro fator refere-se ao convívio dos menores com pessoas envolvidas na marginalidade[485]. Assim, fica evidente a importância da família para o infante.

Partindo dessa premissa, tem-se a alienação parental que provoca efeitos diretos na criança e tem se tornado matéria frequente nas demandas judiciais brasileiras, ocasionado pela evolução normativa e cultural da sociedade nos últimos anos. Entretanto, em contrapartida as referidas modificações que, em suma maioria, trouxeram benefícios à sociedade, tendo em vista que, por exemplo, estreitou as diferenças legais em relação a homens e mulheres e, ofertou mais liberdade a ambos, podendo estes, através do divórcio, constituir uma nova família, uma vez que se encontravam descontentes nas relações familiares na qual coexistiam, a alienação parental trata-se de um tema a ser combatido, aspirando que só traz dor e sofrimento às partes atingidas. Isto posto, passa-se a analisar e conceituar a alienação parental.

Inicialmente, nos últimos anos, a alienação parental se vê presente em nosso judiciário, uma vez que em um período de 10 anos

---

485 VARELLA, Drauzio. Prisioneiras / Drauzio Varella. — 1ª- ed. — São Paulo: Companhia das Letras, 2017. p. 271-276

registrou-se no Brasil um aumento de 161,4% nos pedidos de divórcio[486] e, como consequência das mudanças da sociedade supra citadas, aumentou-se também as demandas de alegação de alienação parental, obrigando a legislação nacional a se adequar ao tema. Deste modo, em 26 de agosto de 2010 foi promulgada a Lei nº 12.318, chamada "Lei da Alienação Parental", na qual, como o próprio nome sugere, assenta sobre a alienação parental e a conceitua em seu artigo 2º:

> Art. 2º. Considera-se ato de alienação parental a interferência na formação psicológica da criança ou do adolescente promovida ou induzida por um dos genitores, pelos avós ou pelos que tenham a criança ou adolescente sob a sua autoridade, guarda ou vigilância para que repudie genitor ou que cause prejuízo ao estabelecimento ou à manutenção de vínculos com este[487].

O parágrafo único do citado artigo aponta formas de alienação parental, as quais serão analisadas mais a frente em título próprio.

Logo, a Lei da alienação parental indica as consequências para o genitor que pratica a alienação, dado que, nos termos do artigo 3º, relaciona-se a desrespeito aos direitos fundamentais da criança,

---

486 PORTAL BRASIL. Em 10 anos, taxa de divórcios cresce mais de 160% no País. Disponível em: <http://www.brasil.gov.br/cidadania-e-justica/2015/11/em-10-anos-taxa-de-divorcios-cresce-mais-de-160-no-pais>.

487 BRASIL. Lei n. 12.318, de 26 de agosto de 2010. Dispõe sobre a alienação parental e altera o art. 236 da Lei no 8.069, de 13 de julho de 1990. Disponível em: < http://www.planalto.gov.br/ccivil_03/_ato2007-2010/2010/lei/l12318.htm>.

caracterizando violação dos deveres inerentes ao poder familiar e configurando abuso moral contra o menor[488].

No âmbito doutrinário, a expressão alienação parental foi empregada pela primeira vez, em 1985, por Richard Alan Gardner, americano, psiquiatra e professor da Universidade de Columbia nos Estados Unidos da América, que utilizou-se da dita sentença para se referir ao ato em que a prole rompe os vínculos afetivos com um dos genitores, em decorrência da pressão psicológica exercida pelo outro genitor, com o objetivo de denegrir a imagem do outro pai:

> Introduzi este termo para me referir a um distúrbio no qual as crianças ficam obcecadas com a depreciação e crítica de um dos pais - depreciação que é injustificada e/ou exagerada. A noção de que tais crianças sofrem lavagem cerebral é limitada. O termo lavagem cerebral implica que um dos pais esteja sistematicamente e conscientemente programando a criança para denegrir o outro genitor (tradução nossa)[489].

O doutrinador justifica que, assim como observado no início do capítulo, a prática da alienação parental é consequência da expansão de litígios familiares, nos quais Richard A. Gardner afirma que tal fato se deu pela quebra de uma tendência dos tribunais americanos que presumiam tratar-se da mãe o genitor preferencial a receber a guarda unilateral da criança, porém, uma vez que os

---

488 Ibid.

489 GARDNER, Richard Alan. Recent Trends in Divorce and Custody Litigation. Disponível em: < https://www.fact.on.ca/Info/pas/gardnr85.htm>.

genitores passaram a combater tal postura do tribunal, afirmando tratar-se de uma postura sexista, os litígios cresceram, juntamente com distúrbios psicológicos[490]. Destarte, o doutrinador coloca que a referida "lavagem cerebral" passou a ser utilizada como maneira de fortalecer a situação de um dos genitores perante os tribunais de justiça, sendo tal prática comum após o divórcio, tendo em vista que os genitores despertam a humilhar e ser críticos um com outro na frente das crianças, de maneira que acabam as alienando mesmo que de forma indireta[491].

Richard A. Gardner também salienta que a alienação não se dá somente nos casos de aliciamento psicológico, mas também através de abusos físicos, verbais, ou por meio do comportamento narcisista do genitor, da negligência de um destes, ou mesmo abuso do consumo de álcool pelo outro parente, no qual, por consequência, o convívio familiar é prejudicado induzindo a criança a acreditar que um dos pais é responsável exclusivo pelo divórcio[492]. Nesse seguimento, Rodrigo da Cunha Pereira sustenta que a alienação parental nada mais é que um modo de violência praticado contra o menor, podendo ser dividida em estágios:

> No estágio leve, as campanhas de desmoralização são discretas e raras; no médio, os filhos sabem o que o genitor alienador quer escutar e começam a colaborar

---

490 GARDNER, Richard Alan. Recent Trends in Divorce and Custody Litigation. Disponível em: < https://www.fact.on.ca/Info/pas/gardnr85.htm>.

491 GARDNER, Richard Alan. Parental Alienation Syndrome vs. Parental Alienation: Which Diagnosis Should Evaluators Use in Child- Custody Disputes?. Disponível em: < https://www.fact.on.ca/Info/pas/gard02b.htm>.

492 Ibid.

> com a campanha de denegrir a imagem do genitor alienado; no grave, os filhos já entram em pânico por terem de conviver com o outro genitor e evitam qualquer contato[493].

Conseguinte, Rodrigo da Cunha Pereira reconhece que os genitores, de forma mal-intencionada, mascaram a alienação parental com manifestações de carinho e afeto à criança, porém, seu único objetivo é suprir suas mágoas atacando o outro pai, atirando o próprio filho contra este. Nesse seguimento, o doutrinador conceitua o assunto da seguinte forma: "Trata-se de implantar na psiqué e memória do filho urna imago negativa do outro genitor, de forma tal que ele seja alijado e alienado da vida daquele pai ou mãe[494]". Em continuidade, Rodrigo da Cunha Pereira coloca que o alienador aproveitando-se da pureza do filho apodera-se da infância deste ou do menor sob o qual é responsável[495].

Paulo Nader desenvolve que o melhor interesse da criança deve prevalecer em todas as situações, inclusive no que tange a guarda, assim, o exercício da alienação parental é inadmissível, tendo em vista que tal prática vai na contramão do superior interesse do menor, ultrajando princípios éticos existentes nas relações familiares. Da mesma maneira que os doutrinadores anteriormente citados, Paulo Nader define a alienação parental como a ação de desqualificar e desfazer a imagem do genitor alienado, que é aquele que tem sua

---

[493] PEREIRA, Rodrigo da Cunha. Dicionário de direito de família e sucessões: Ilustrado / Rodrigo da Cunha Pereira. - São Paulo: Saraiva, 2015. p. 74

[494] PEREIRA, Rodrigo da Cunha. Dicionário de direito de família e sucessões: Ilustrado / Rodrigo da Cunha Pereira. - São Paulo: Saraiva, 2015. p. 72

[495] Ibid., p. 74

reputação maculada perante a sua prole. O doutrinador remata que afeições possessivas, de iniquidade e de vingança são os principais fatores que provocam o genitor alienante a praticar a alienação parental[496].

A criança alienada ou já apresentando os sintomas da Síndrome da Alienação Parental (SAP), a qual será analisada mais adiante, transgredi os laços afetivos com o genitor alienado, produzindo o chamado "órfão de pai vivo", conforme afirma Carlos Roberto Gonçalves. Também certifica o doutrinador que a citada lei nº 12.318/2010, além de buscar o robustecimento do convívio familiar, possui principalmente caráter educativo, considerando que a referida tem como objetivo inteirar os genitores e alertá-los sobre as consequências judiciais para aqueles que a infringirem[497].

Maria Berenice Dias afirma que a alienação parental sempre esteve presente nas relações familiares, contudo se sobressaiu nos últimos tempos. Nessa sequencia, a autora conceitua o tema como a situação em que um dos genitores, inconformado com a separação, utiliza-se da prole como instrumento de vingança, a fim de atingir e ferir seu ex-cônjuge ou companheiro:

> Sentir-se vencido, rejeitado, preterido, desqualificado como objeto de amor, pode fazer emergir impulsos destrutivos que ensejarão desejo de vingança, dinâmica que fará com que muitos pais se utilizem de

---

[496] NADER, Paulo. Curso de direito civil, volume 5: direito de família / Paulo Nader. – 7. ed. – Rio de Janeiro: Forense, 2016. p. 401

[497] GONÇALVES, Carlos Roberto. Direito civil brasileiro, volume 6: direito de família / Carlos Roberto Gonçalves. – 9. ed. – São Paulo : Saraiva, 2012. p. 259-261

> seus filhos para o acerto de contas do débito conjugal. [...] Dessa forma, entre relações falseadas, sobrecarregadas de imagens parentais distorcidas e memórias inventadas, a alienação parental vai se desenhando: pais riscam, rabiscam e apagam a imagem do outro genitor na mente da criança[498].

No entendimento de Maria Berenice Dias, tal prática tem por objetivo reafirmar a posição do genitor que se considera prejudicado com o divórcio e se autoflagela pelo sentimento de ter sido rejeitado e, dessa forma, canaliza toda sua raiva no outro genitor. Entretanto, a doutrinadora pondera que o direcionamento da alienação não sujeita-se apenas aos pais, sendo capaz de acometer outros membros da relação familiar, bem como tutores, avós, irmãos, tios etc.

Considerando que a prática da alienação parental dá origem ao desenvolvimento de distúrbios psicológicos, tal como a Síndrome da Alienação Parental, vasta são as análises e conceituações sobre o tema no ponto de vista da psicanálise. Portanto, o psicólogo Jorge Trindade, ao analisar a SAP a conceitua do seguinte jeito:

> Em outras palavras, consiste num processo de programar uma criança para que odeie um de seus genitores sem justificativa, de modo que a própria criança ingressa na trajetória de desmoralização desse mesmo genitor. Dessa maneira, podemos dizer que o alienador "educa" os filhos no ódio contra o outro

498 DIAS, Maria Berenice. Manual de direito das famílias I / Maria Berenice Dias. – 10. ed. rev., atual. e ampl. – São Paulo: Revista dos Tribunais, 2015. p. 545

> genitor, seu pai ou sua mãe, até conseguir que eles, de modo próprio, levem a cabo esse rechaço[499].

Nessa sequência, Juliana Rodrigues de Souza reflete que a SAP trata-se de uma consequência da execução da alienação parental, observando que essa refere-se ao ato de distanciar e impedir que o outro genitor seja integrado no núcleo de relacionamentos familiares, por intermédio da manipulação da criança, para que, de forma consciente ou não, afaste-se do outro genitor e forme sentimentos de ódio e revolta por este. Ademais, coloca a doutrinadora que alienação, bem como a progressão da SAP se dá principalmente nos casos de disputa judicial pela guarda do infante, haja vista que o menor ao ser apresentado a toda situação, em muitos dos casos, não consegue separar o que é verdade e o que é manipulação, de modo igual, acaba desenvolvendo o distúrbio e passa a aceitar todas as informações repassadas pelo genitor alienador como se verdades fossem e, por consequência, destrói qualquer laço de afeto que dispunha com o genitor alienado[500].

A psicóloga e bacharel em direito, Denise Maria Perissini da Silva, do mesmo modo que Maria Berenice Dias, frisa que o desempenho da alienação parental não limita-se ao progenitor,

---

499 OLIVEIRA, Mário Henrique Castanho Prado de. A alienação parental como forma de abuso à criança e ao adolescente. 2012. Dissertação (Mestrado em Direito Civil) - Faculdade de Direito, Universidade de São Paulo, São Paulo, 2012. p. 103 apud TRINDADE, Jorge. Síndrome da Alienação Parental. In: DIAS, Maria Berenice (coord.). Incesto e Alienação Parental – realidades que a Justiça insiste em não ver. São Paulo: RT, 2007. p. 102

500 SOUZA, Juliana Rodrigues de. Alienação parental – Sob a perspectiva do direito à convivência familiar 2ª Edição / Juliana Rodrigues de Souza – Leme/SP: Mundo Jurídico, 2017. p. 113-119

podendo a síndrome ser fixada por demais pessoas que disponham de algum interesse, sendo capaz o alienador ser um tio, um dos avós, amigos da família, ou mesmo um terceiro, tanto quanto médico, psicólogo, advogado etc., ou seja, profissionais que não exercem sua carreira de maneira ética[501]. No entanto, em relação à figura do alienado, a lei atribuiu exclusivamente ao genitor como passivo nestes casos, mesmo os demais membros da família podendo ser atingidos pela alienação e visando que a jurisprudência e a doutrina já admitam o valor de vínculos socioafetivos[502].

Dada a importância da matéria, além dos estudos de Richard A. Gardner que abriram os debates sobre o tema, diversos doutrinadores internacionais despertaram para a alienação parental e a SAP, buscando conceituar estes. Nesse sentido, William Bernet, professor e psiquiatra americano, apresentou o seguinte conceito da síndrome da alienação parental:

> perturbador fenômeno psicológico em que a criança – geralmente uma cujos pais estão envolvidos num divórcio hostil – vem a se alinhar fortemente a um dos genitores e rejeita um relacionamento com o outro sem justificativa legítima. As características clínicas da SAP incluem: uma campanha de difamação; racionalizações fracas, frívolas e absurdas

---

501 SILVA, Denise Maria Perissini da. Psicologia jurídica no processo civil brasileiro: a interface da psicologia com o direito nas questões de família e infância / Denise Maria Perissini da Silva. – 3. ed. rev., atual. e ampl. – Rio de Janeiro: Forense, 2016. p. 172

502 PEREIRA, Caio Mário da Silva. Instituições de direito civil – Vol. V / Atual. Tânia da Silva Pereira. – 25. ed. rev., atual. e ampl. – Rio de Janeiro: Forense, 2017. p. 358

> para a difamação; falta de ambivalência; fenômeno do pensador-independente; apoio reflexivo a um genitor contra o outro; ausência de culpa na exploração do genitor-alvo; presença de cenários emprestados; e extensão da animosidade à família do genitor-alvo[503].

Outrossim, considerando que o exercício da guarda, assim como a titularidade do poder familiar tem como principal finalidade favorecer o melhor interesse da criança[504], Janelle Burrill aponta que o ato da alienação parental e o desenvolvimento da SAP ocorre no núcleo das relações familiares em grande parte dos casos:

> A SAP é um distúrbio que surge quase que exclusivamente no contexto de disputas de custódia dos filhos. [...] O fenômeno da SAP ocorre no contexto de um sistema familiar altamente conflituoso que é composto de uma criança, um genitor alienador e um genitor alienado, que é vitimado por este processo. Na verdade, a criança é a vítima real. A criança frequentemente torna-se alienada do genitor alienado pelo genitor alienador[505].

Além disto, Susan Heitler critica a atuação dos profissionais do âmbito judicial nos processos que demandam sobre a alienação

---

503 OLIVEIRA, Mário Henrique Castanho Prado de. op. cit., p. 103 apud BERNET, William. Sexual abuse allegations in the context of child custody disputes. In: GARDNER, Richard A.; LORANDOS, Demosthenes; SAUBER, S. Richard (org.) The International Handbook of Parental Alienation Syndrome. 2nd ed. Springfield, IL : Charles C Thomas Publisher LTD, 2006, p. 244.

504 DIAS, Maria Berenice. op. cit., p. 465

505 OLIVEIRA, Mário Henrique Castanho Prado de. op. cit., p. 104 apud BURRILL, Janelle. Reluctance to verify PAS as a legitimate syndrome. In: GARDNER, Richard A.; LORANDOS, Demosthenes; SAUBER, S. Richard (org.) The International Handbook of Parental Alienation Syndrome. 2nd ed. Springfield, IL : Charles C Thomas Publisher LTD, 2006, p. 324.

parental, vez que, na visão de Susan, juízes, psicólogos forenses, advogados de família e coordenadores de pais, não possuem entendimento satisfatório sobre a matéria e ao se depararem com demandas desta espécie, acabam agravando os danos estimulados pelo genitor alienante, simplesmente porque não entendem as circunstâncias que estão enfrentando[506].

Enfim, cabe destacar que a Lei nº 12.318/2018 caracteriza a alienação parental como violação direta a direitos fundamentais do infante, tal como o direito à convivência familiar, que é garantido pelo Estatuto da Criança e do Adolescente e pela Constituição Federal de 1988[507].

Analisado o conceito de variados doutrinadores, tanto na esfera jurídica como na da psicanálise, pode-se concluir que todos assentem que a alienação se origina a partir do divórcio, ou melhor, não do instituto do divórcio propriamente dito, mas sim a partir do rompimento de uma relação familiar e que, no geral, o exercício da alienação parental motiva-se de sentimentos de vingança e injustiça. Apesar disso, cabe o destaque que a ação de alienar uma criança vai muito além do simples fato de preencher ou compensar ânimos oprimidos do genitor alienante, porquanto, como destacado no início deste título, a falta de amparo, seja material ou emocional, no período da infância, concebem consequências graves que podem refletir por

---

506 HEITLER, Susan. Parental Alienation: What Can an Alienated Parent Do?. Psychology Today, 2018. Disponível em: < https://www.psychologytoday.com/us/blog/resolution-not-conflict/201802/parental-alienation-what-can-alienated-parent-do>.
507 PEREIRA, Caio Mário da Silva. op. cit., p. 358

toda a vida da criança, podendo ser efeitos no âmbito jurídico ou o desenvolvimento de distúrbios psicológicos, tal como a Síndrome da Alienação Parental, a qual será demonstrada no próximo título suas diferenças em relação a alienação parental.

## 3.2 DIFERENÇAS ENTRE ALIENAÇÃO PARENTAL E SÍNDROME DA ALIENAÇÃO PARENTAL

Como apontado pela doutrina no título anterior, alienação parental e Síndrome da Alienação Parental em grande parte das situações apresentam-se simultaneamente. Ainda assim, apesar de se tratarem de asserções complementares como será demonstrado a seguir, cabe sua diferenciação.

Richard A. Gardner, doutrinador que inaugurou os debates sobre o tema, tal quanto intitulou ambos os institutos, expôs que, conforme visto acima, a alienação parental trata-se do abuso praticado por um genitor ou terceiro, que afasta a criança de seu outro pai, por consequência da implantação proposital de falsas memórias, podendo este abuso ser realizado por intermédio da aplicação desproporcional de castigos físicos e/ou pressões psicológicas, tal como o desprestigio da imagem de um dos genitores. Gardner também coloca que o exercício da alienação parental faz com que a criança apresente inúmeros sintomas e desenvolva transtornos psicológicos, dentre eles, a Síndrome da Alienação Parental[508].

Em relação à Síndrome da Alienação Parental, primeiramente compete dizer que a expressão síndrome concerne a uma combinação de características, de sinais ou de sintomas, que em condições críticas incitam na pessoa perturbada inseguranças e medos, que podem dar origem a patologias[509]. Contextualizada a expressão, Richard A. Gardner afirma que a Síndrome da Alienação Parental refere-se à manifestação na criança de variados sintomas de forma conjunta, não sendo estes traços motivados diretamente pelo ato do genitor alienante implantar memórias mentirosas, e sim relaciona-se a um distúrbio que expressa-se durante a infância do menor, no qual este voluntariamente se afasta de um dos pais e passa a macular a imagem deste sem nenhuma justificativa aparente, isto é, o menor por si só cria memórias falsas que o apartam do genitor alienado. No que tange ao fato do infante criar falsas memórias, o doutrinador declara que o referido sintoma da SAP é provocado pela alienação parental sofrida pela criança anteriormente, fazendo com que o menor de forma inconsciente crie memórias falsas a fim de corresponder às vontades do genitor alienante, que no caso, concerne-se da vontade de afastar

---

[508] GARDNER, Richard Alan. Parental Alienation Syndrome vs. Parental Alienation: Which Diagnosis Should Evaluators Use in Child- Custody Disputes?

[509] MICHAELIS, Dicionário Brasileiro da Língua Portuguesa. Disponível em: <http://michaelis.uol.com.br/moderno-portugues/busca/portugues-rasileiro/sindrome/>.

o filho do pai, o qual o alienador culpa ou alimenta rancor pelo fim do relacionamento[510].

Finalmente, Richard A. Gardner aponta que uma das principais diferenças da alienação parental e da Síndrome da Alienação Parental trata-se do fato que a criança sob os efeitos da alienação parental ao se afastar de um dos genitores teve como encorajamento a lavagem cerebral e a programação empregue pelo alienador, ou mesmo sofreu algum tipo de abuso, e, já no caso da Síndrome da Alienação Parental, o menor toma atitudes em relação ao alienador que não condizem com as realidades vivenciadas, criando conjunturas falsas em sua cabeça[511].

Neste contexto, Marco Antônio Garcia Pinho discorre sobre as diferenças entre alienação parental e a SAP:

> Síndrome da Alienação Parental não se confunde com a Alienação Parental, pois que aquela geralmente decorre desta, ou seja, enquanto a AP se liga ao afastamento do filho de um pai através de manobras da titular da guarda, a Síndrome, por seu turno, diz respeito às questões emocionais, aos danos e sequelas que a criança e o adolescente vêm a padecer[512].

Cabe o destaque a Síndrome da Alienação Parental não é reconhecida como patologia por parte da comunidade científica, uma

---

510 GARDNER, Richard Alan. Parental Alienation Syndrome vs. Parental Alienation: Which Diagnosis Should Evaluators Use in Child- Custody Disputes?

511 Ibid.

512 SOUZA, Juliana Rodrigues de. op. cit., p. 122 apud PINHO, Marco Antônio Garcia. Alienação Parental. In: Revista do Ministério Público. Minas Gerais: ano IV, n 17, jul. –set. de 2009, p. 41

vez que esses alegam ser indispensável a realização de novas pesquisas[513]. Bem assim, Richard A. Gardner ao redigir sobre a Síndrome da Alienação Parental tinha a intenção de que esta fosse publicada e incluída pela Associação Psiquiátrica Americana no manual de diagnósticos e estatísticas das perturbações mentais (DSM-IV), porém isso não ocorreu[514], da mesma forma que não foi inclusa na classificação internacional de doenças e problemas relacionados à saúde (CID-10) e, uma vez que encontra-se ausente no rol de doenças das citadas publicações, a SAP não é tida pelo corpo médico como uma síndrome válida[515]. Em razão disso, a Lei nº 12.318/2010, foi promulgada para dispor sobre a alienação parental[516], tendo em vista que a legislação nacional não adere síndromes que não constam no rol do CID[517], mas de maneira indireta acaba ponderando sobre a SAP, posto que, conforme já demonstrado, em muitos dos casos, alienação e síndrome estão interligadas[518]. Uma vez inclusa no rol do CID-10 e DSM-IV a Síndrome da Alienação Parental teria seu tratamento facilitado[519].

Caio Mário da Silva Pereira discorre que o objetivo principal da alienação parental é destruir os vínculos de afeto, amor e amizade que a criança nutri por seu genitor, podendo ocorrer, mas não de

---

513 PEREIRA, Caio Mário da Silva. op. cit., p. 356

514 MADALENO, Ana Carolina Carpes. Síndrome da Alienação Parental: importância da detecção – aspectos legais e processuais / Ana Carolina Carpes Madaleno, Rolf Madaleno. – 5. ed. rev., atual. e ampl. – Rio de Janeiro: Forense, 2018. p. 47

515 SOUZA, Juliana Rodrigues de. op. cit., p. 121

516 PEREIRA, Caio Mário da Silva. op. cit., p. 356

517 MADALENO, Ana Carolina Carpes. op. cit., p. 47

518 PEREIRA, Caio Mário da Silva. op. cit., p. 356

519 MADALENO, Ana Carolina Carpes. op. cit., p. 47

forma impreterível, a inserção de falsas memórias. Já na síndrome da alienação parental, o objeto principal são as memórias mentirosas estabelecidas, fazendo com que o menor acredite que tudo que o genitor alienante fale sobre o outro seja verdade, passando a criança ou adolescente a agir como se as falsas memórias fossem reais, verdadeiras e fazendo-o crer que ele realmente viveu determinadas situações. O doutrinador afirma que acusações de abuso sexual falsas, em muitas das vezes, são decorrentes da SAP, dado que o alienador insiste com tamanha intensidade com o menor sobre o assunto, fazendo com que este crie um cenário fictício em sua mente e acuse o genitor alienado[520]. Referente às falsas acusações de abuso, a psicóloga Denise Maria Perissini da Silva afirma que é possível distinguir o que é memória falsa motivada pela SAP e o que é realmente abuso, analisando que a criança ou adolescente que realmente sofreu abusos possui os chamados gatilhos emocionais, que uma vez ativados fazem com que este recorde-se perfeitamente do ocorrido, inclusive de maneira detalhada. Nos casos em que a denúncia ocorreu por menores sobre os efeitos da síndrome, estes não se lembram do abuso instantaneamente, considerando que estes não o vivenciaram, e, assim, precisam do auxílio do genitor alienante para recordar os fatos. Dessa forma, ao ser inquirida, a criança cria cenários inverossímeis e, ao ser questionada sobre os fatos em separado do alienador, apresenta versões diferentes dos fatos. Outrossim, a psicóloga também discorre que nos casos de abuso real, as denúncias são referentes a tempos anteriores ao divórcio, ao ponto

---

520 PEREIRA, Caio Mário da Silva. op. cit., p. 356-357

que as queixas motivadas pela síndrome têm início após a separação[521].

Outro fator que diferencia a alienação da síndrome refere-se ao fato da criança ou adolescente que sofreu com a separação dos pais e, acometida pela síndrome da alienação parental, passa a recusar qualquer forma de contato com um dos genitores, ou seja, apesar do menor ter padecido com o distanciamento abrupto de um dos pais, considerando que em decorrência do divórcio, um dos pais teve que deixar o lar no qual dividia com o filho, a criança ao ter a oportunidade de conviver com este, se nega de maneira incisiva, sem apresentar argumentos plausíveis. Ora na alienação parental o distanciamento de pai e filho ocorre por atos do genitor alienante, com o objetivo claro de afastá-los[522].

Outra das consequências da SAP ressaltada por Maria Berenice Dias refere-se do fato do genitor alienante fanático, com o passar do tempo, não saber mais diferenciar o que é realidade e o que é fantasia, passando a serem suas as falsas memórias que implantou no filho[523].

Afinal, alienação parental e Síndrome da Alienação Parental passaram a ser difundidas no Brasil a partir de 2002, sendo as primeiras decisões judiciais acerca do tema publicadas em 2003, as quais atribui-se a equipes interdisciplinares, tais como a Associação dos Pais e Mães Separados (APA-SE) e Instituto Brasileiro de Direito

---

521 SILVA, Denise Maria Perissini da. op. cit., p. 190-191
522 SOUZA, Juliana Rodrigues de. op. cit., p. 122-123
523 DIAS, Maria Berenice. op. cit., p. 547

de Família (IB-DFAM), o motivo por ambos os temas despertarem mais atenção do Poder Judiciário[524].

Dessa forma, conclui-se que apesar de não serem expressões sinônimas, alienação parental e Síndrome da Alienação Parental, prosseguem quase sempre juntas, intentando que a criança ou adolescente acometida de forma nociva por atos de alienação parental praticados pelo genitor alienante ou por terceiro responsável pelo menor ou que possua algum interesse sobre este, acaba desenvolvendo a Síndrome da Alienação Parental, passando a apresentar sintomas que se não identificados celeremente e devidamente debelados podem causar distúrbios psicológicos que perturbarão o desenvolvimento sadio dos infantes, o prejudicando mesmo após atingir a maioridade.

## 3.3 FORMAS DE ALIENAÇÃO PARENTAL

Conforme discorrido, o adolescente ou a criança ao ser utilizado como instrumento de vingança, torna-se vítima de indevida intromissão psicológica exercida pelo genitor ou terceiro alienante[525].

---

524 SOUZA, Juliana Rodrigues de. op. cit., p. 125 apud FREITAS, Douglas Phillips; PELLIZZARO, Graciela. Alienação Parental. Comentários à Lei nº 12.318/2010. Rio de Janeiro: Forense, 2010. p. 19

525 GAGLIANO, Pablo Stolze; PAMPLONA FILHO, Rodolfo. Novo curso de direito civil, volume 6 : Direito de família — As famílias em perspectiva constitucional / Pablo Stolze Gagliano, Rodolfo Pamplona Filho. – 2. ed. rev., atual. e ampl. – São Paulo: Saraiva, 2012. p. 533

Nesse sentido, o legislador a fim de facilitar a identificação da alienação parental, já que refere-se de procedimento de difícil reconhecimento[526], elencou, de forma exemplificativa, no parágrafo único do artigo 2º da Lei nº 12.318/2010, comportamentos habituais praticados pelo alienador:

> Art. 2º.
>
> [...]
>
> Parágrafo único. São formas exemplificativas de alienação parental, além dos atos assim declarados pelo juiz ou constatados por perícia, praticados diretamente ou com auxílio de terceiros:
>
> I - realizar campanha de desqualificação da conduta do genitor no exercício da paternidade ou maternidade;
>
> II - dificultar o exercício da autoridade parental;
>
> III - dificultar contato de criança ou adolescente com genitor;
>
> IV - dificultar o exercício do direito regulamentado de convivência familiar;
>
> V - omitir deliberadamente a genitor informações pessoais relevantes sobre a criança ou adolescente, inclusive escolares, médicas e alterações de endereço;
>
> VI - apresentar falsa denúncia contra genitor, contra familiares deste ou contra avós, para obstar ou

526 PEREIRA, Caio Mário da Silva. op. cit., p. 357

> dificultar a convivência deles com a criança ou adolescente;
>
> VII - mudar o domicílio para local distante, sem justificativa, visando a dificultar a convivência da criança ou adolescente com o outro genitor, com familiares deste ou com avós[527].

Apesar de o rol ser apenas exemplificado, como o próprio parágrafo enuncia, ou seja, a listagem não é taxativa e, consequentemente, não limita a caracterização da alienação parental somente a essas atitudes.

Nessa continuação, Elizio Luiz Perez coloca que o citado rol expõe à sociedade os limites da ética em que os casais em discordância devem respeitar. Dessa maneira, para o doutrinador, o rol possui caráter educativo[528], vez que, em alguns casos, o genitor não tem a intenção de específica de alienar a criança, mas acaba cometendo algum dos atos previstos na listagem, em decorrência de estar alheio a suas emoções[529].

Deste modo, convém uma breve análise dos referidos incisos:

---

527 BRASIL. Lei n. 12.318, de 26 de agosto de 2010. Dispõe sobre a alienação parental e altera o art. 236 da Lei no 8.069, de 13 de julho de 1990. Disponível em: < http://www.planalto.gov.br/ccivil_03/_ato2007-2010/2010/lei/l12318.htm>.

528 PEREIRA, Caio Mário da Silva. op. cit., p. 357 apud Elizio Luiz Perez, "Breves comentários acerca da Lei de Alienação Parental", in Incesto e alienação parental: realidades que a Justiça insiste em não ver (coord.: Maria Berenice Dias), São Paulo: RT/IBDFAM, 2010, p. 70.

529 PEREIRA, Caio Mário da Silva. op. cit., p. 357

### 3.3.1 Realizar campanha de desqualificação da conduta do genitor no exercício da paternidade ou maternidade

O inciso I discorre que a alienação parental restará caracterizada nas hipóteses em que o genitor alienante, de forma contínua e com a intenção de atrapalhar o convívio de pai e filho, executa campanha de desmoralização da atuação do genitor na execução de seus direitos e obrigações advindas da maternidade ou paternidade[530]. Em determinados casos, a operação torna-se intolerável, impossibilitando o exercício do poder familiar pelo genitor alienado[531], uma vez que faz com que o infante se sinta desprotegido na presença do genitor vítima da alienação[532].

A referida campanha ocorre de diversos modos, tal como a colocação na criança de conceitos de que o genitor alienado a abandonou e que o referido não possui sentimentos afetivos pela

---

530 BRASIL. Associação Brasileira Criança Feliz – ABCF. Cartilha sobre alienação parental. vol. I. Porto Alegre: 2014. p. 10. Disponível em: <http://criancafeliz.org/wp-content/uploads/2015/02/Cartilha-de-Alienacao-Parental-v-site.pdf>.

531 RAMOS, Patricia Pimentel de Oliveira Chambers. Poder familiar e guarda compartilhada: novos paradigmas do direito de família / Patricia Pimentel de Oliveira Chambers Ramos. – 2. ed. – São Paulo : Saraiva, 2016. p. 101

532 BRASIL. Escola Superior de Advocacia OAB/RS; BRASIL. Associação Brasileira Criança Feliz. Cartilha Alienação Parental; Vidas em Preto e Branco. Porto Alegre, 2012. p. 11. Disponível em: <https://www.mpma.mp.br/arquivos/CAOPIJ/docs/2._Cartilha_Alienacao_Parental_OAB-RS.pdf>.

criança, tendo em vista que possui outra família ou simplesmente não colabora com as despesas familiares[533].

Outra maneira de desqualificação demanda das hipóteses em que o genitor alienante leva a criança a acreditar que o genitor trata-se de pessoa irresponsável e, consequentemente, não possui aptidão para exercer a paternidade, bem como os direitos e deveres advindos do poder familiar[534]. Nesse seguimento, também é utilizado pelo genitor alienante o argumento de que o genitor alienado é muito rígido com a criança, de modo que acaba desautorizando o genitor perante o filho[535].

Ademais, o inciso em análise enquadra-se nos casos em que um dos genitores transmite a criança fatos relacionados somente a separação judicial do casal, maculando assim a imagem do genitor e inviabilizando o contato deste com sua prole. Como exemplo, podem ser citados fatos relativos exclusivamente ao casal, como desacordos em relação aos alimentos, ofensas direcionadas ao outro pai e novos relacionamentos amorosos constituídos após o divórcio[536].

---

533 BRASIL. Poder Judiciário do Estado de Mato Grosso. Cartilha Alienação Parental. Cuiabá, 2014. p. 7. Disponível em: <http://www.tjmt.jus.br/intranet.arq/downloads/Imprensa/NoticiaImprensa/file/2014/04%20-%20Abril/25%20-%20Cartilha%20-%20Aliena%C3%A7%C3%A3o.pdf>.

534 RAMOS, Patricia Pimentel de Oliveira Chambers. op. cit., p. 100

535 BRASIL. Escola Superior de Advocacia OAB/RS; BRASIL. Associação Brasileira Criança Feliz. Cartilha Alienação Parental; Vidas em Preto e Branco. Porto Alegre, 2012. p. 9. Disponível em: <https://www.mpma.mp.br/arquivos/CAOPIJ/docs/2._Cartilha_Alienacao_Parental_OAB-RS.pdf>.

536 RAMOS, Patricia Pimentel de Oliveira Chambers. op. cit., p. 101

Por fim, cabe o destaque que a campanha deve ocorrer de forma continua[537] e pode ocorrer durante a relação familiar, não delimitando apenas nos casos de dissolução do corpo familiar[538].

### 3.3.2 Dificultar o exercício da autoridade parental

Apesar do divórcio ou da separação não anularem o poder familiar de uma das partes, é corriqueira a concepção do genitor detentor da guarda de que todas as decisões relacionadas a criança cabem a ele, uma vez que é guardião do menor. Entretanto, trata-se de uma concepção equivocada[539], posto que, como visto nos capítulos anteriores, independentemente do regime de guarda da criança, ambos os pais devem exercer o poder familiar, mantendo-se as obrigações e direitos provenientes da paternidade/maternidade, tal qual opinar sobre desempenho escolar, alimentação, acompanhamento médico etc. Posto isto, nos termos do inciso II do artigo em análise, o genitor que impedir, dificultar, ou mesmo

---

537 BRASIL. Poder Judiciário do Estado de Mato Grosso. Cartilha Alienação Parental. Cuiabá, 2014. p. 7. Disponível em: <http://www.tjmt.jus.br/intranet.arq/downloads/Imprensa/NoticiaImprensa/file/2014/04%20-%20Abril/25%20-%20Cartilha%20-%20Aliena%C3%A7%C3%A3o.pdf>.

538 RAMOS, Patricia Pimentel de Oliveira Chambers. op. cit., p. 100

539 BRASIL. Escola Superior de Advocacia OAB/RS; BRASIL. Associação Brasileira Criança Feliz. Cartilha Alienação Parental; Vidas em Preto e Branco. Porto Alegre, 2012. p. 10. Disponível em: <https://www.mpma.mp.br/arquivos/CAOPIJ/docs/2._Cartilha_Alienacao_Parental_OAB-RS.pdf>.

desautorizar o outro genitor, caracterizará a prática da alienação parental[540].

Estimular o menor a desobedecer a ordens do genitor alienado[541], ignorar limites e revogar castigos impostos pelo outro genitor, apresentar seu novo namorado sob o título de novo pai da criança e fazer com que a criança sempre relembre de motivos que a deixem enraivecida com o genitor alienado são algumas das formas utilizadas pelo alienador para dificultar o exercício da autoridade parental[542]. Tais atitudes são utilizadas para convencer a criança ou adolescente de que o genitor alienado refere-se de uma pessoa chata, paranoica, intensa[543], desautorizando-o e colocando obstáculos para o exercício sadio de sua autoridade parental[544].

---

540 BRASIL. Escola Superior de Advocacia OAB/RS; BRASIL. Associação Brasileira Criança Feliz. Cartilha Alienação Parental; Vidas em Preto e Branco. Porto Alegre, 2012. p. 7. Disponível em: <https://www.mpma.mp.br/arquivos/CAOPIJ/docs/2._Cartilha_Alienacao_Parental_OAB-RS.pdf>. BRASIL. Associação Brasileira Criança Feliz – ABCF. Cartilha sobre alienação parental. vol. I. Porto Alegre: 2014. p. 11. Disponível em: <http://criancafeliz.org/wp-content/uploads/2015/02/Cartilha-de-Alienacao-Parental-v-site.pdf>.

541 BRASIL. Associação Brasileira Criança Feliz – ABCF. Cartilha sobre alienação parental. vol. I. Porto Alegre: 2014. p. 11. Disponível em: <http://criancafeliz.org/wp-content/uploads/2015/02/Cartilha-de-Alienacao-Parental-v-site.pdf>.

542 RAMOS, Patricia Pimentel de Oliveira Chambers. op. cit., p. 101-102

543 Ibid., p. 101-102

544 BRASIL. Poder Judiciário do Estado de Mato Grosso. Cartilha Alienação Parental. Cuiabá, 2014. p. 7. Disponível em: <http://www.tjmt.jus.br/intranet.arq/downloads/Imprensa/NoticiaImprensa/file/2014/04%20-%20Abril/25%20-%20Cartilha%20-%20Aliena%C3%A7%C3%A3o.pdf>.

### 3.3.3 Dificultar contato de criança ou adolescente com genitor

A configuração da alienação parental por meio do inciso III em análise ocorre nas conjecturas em que o contato entre pai e filho é prejudicado por responsabilidade do genitor alienante[545].

Entende-se contato como a conexão da criança com seu genitor ou responsável através de meios não presenciais, bem como telefonemas, mensagens, internet, redes sociais etc., e o convívio com o genitor foras das datas de visita previamente ajustadas entre as partes[546].

Nos termos do inciso III, restará configurada a alienação parental quando a prole tem sua guarda concedida a um dos genitores de forma unilateral e este, apesar de ter o dever de facilitar a comunicação entre o infante e o pai que não detêm a guarda, não o faz, mesmo sabendo que é direito da criança e do adolescente de conviver com ambos os pais[547]. Nessa continuidade, o direito a

---

545 SOUZA, Juliana Rodrigues de. op. cit., p. 131

546 BRASIL. Escola Superior de Advocacia OAB/RS; BRASIL. Associação Brasileira Criança Feliz. Cartilha Alienação Parental; Vidas em Preto e Branco. Porto Alegre, 2012. p. 10. Disponível em: <https://www.mpma.mp.br/arquivos/CAOPIJ/docs/2._Cartilha_Alienacao_Parental_OAB-RS.pdf>.

547 BRASIL. Associação Brasileira Criança Feliz – ABCF. Cartilha sobre alienação parental. vol. I. Porto Alegre: 2014. p. 8. Disponível em: <http://criancafeliz.org/wp-content/uploads/2015/02/Cartilha-de-Alienacao-Parental-v-site.pdf>.

convivência familiar é assegurado pela Constituição Federal de 1988 em seu artigo 227[548].

Configura-se a violação prevista no inciso em debate quando o pai ou responsável alienante proíbe ligações da criança o pai ou impede que o menor atenda ligações feitas pelo genitor; não passa ao filho os recados deixados pelo pai ou diz a este, de maneira enganadora, que a criança não se encontra, por isso não pode atender[549]; chantageia emocionalmente o infante compelindo-a à crer que seu convívio com o outro genitor representar deslealdade em relação a ele[550] e refreia que o menor compareça à festas e eventos realizados pela família do genitor alienado fora das datas e horários acordados judicialmente[551].

Salienta-se que, conforme já apontado, o referido inciso trata apenas dos casos em que o contato com a criança de maneira não presencial e fora dos dias de visita é dificultado pelo genitor alienante, cabendo às hipóteses de violação da visita regulada judicialmente ao inciso IV.

---

548 BRASIL, Constituição (1988). Constituição da República Federativa do Brasil. Brasília, DF: Senado Federal, 1988. Disponível em: <http://www.planalto.gov.br/ccivil_03/constituicao/constituicaocompilado.htm>
549 RAMOS, Patricia Pimentel de Oliveira Chambers. op. cit., p. 102
550 BRASIL. Associação Brasileira Criança Feliz – ABCF. Cartilha sobre alienação parental. vol. I. Porto Alegre: 2014. p. 11. Disponível em: <http://criancafeliz.org/wp-content/uploads/2015/02/Cartilha-de-Alienacao-Parental-v-site.pdf>.
551 RAMOS, Patricia Pimentel de Oliveira Chambers. op. cit., p. 102

### 3.3.4 Dificultar o exercício do direito regulamentado de convivência familiar

O vínculo entre genitor e prole se fortalece quanto maior for o convívio entre estes[552]. Nesse sentido, o direito de visita é assegurado pelo artigo 1.589 do Código Civil[553].

Deste modo, prevê o inciso IV que a pratica alienação parental o genitor responsável que cria empecilhos a fim de que não sejam cumpridas as visitas[554].

O descumprimento do acordo de visitas ou da decisão judicial, que se dá nos casos em que coube ao judiciário estabelecer um período de convivência mínima, vez que o ajuste da visitação não

552 BRASIL. Poder Judiciário do Estado de Mato Grosso. Cartilha Alienação Parental. Cuiabá, 2014. p. 8. Disponível em: <http://www.tjmt.jus.br/intranet.arq/downloads/Imprensa/NoticiaImprensa/file/2014/04%20-%20Abril/25%20-%20Cartilha%20-%20Aliena%C3%A7%C3%A3o.pdf>.

553 BRASIL, Código Civil (2002). Brasília, DF: Senado Federal, 2002. Disponível em: <http://www.planalto.gov.br/ccivil_03/leis/2002/L10406.htm>.

554 BRASIL. Associação Brasileira Criança Feliz – ABCF. Cartilha sobre alienação parental. vol. I. Porto Alegre: 2014. p. 12. Disponível em: <http://criancafeliz.org/wp-content/uploads/2015/02/Cartilha-de-Alienacao-Parental-v-site.pdf>.

ocorreram de forma amigável[555], pode suceder de forma direta e indireta[556].

O atrapalho do exercício do direito de visita de maneira direta ocorre nos prognósticos em que o genitor detentor da guarda, e, nesse caso, genitor alienante, unicamente não entrega a criança ao outro genitor no dia da visita, assim, descumprindo com sua obrigação e violando o acordo de convivência e os direitos assegurados ao genitor e ao filho. Outro formato de descumprimento por meio direto realiza-se quando o genitor alienante, disposto a criar no entendimento da criança o sentimento de punição por esta conviver com pai, deixa de buscá-la[557].

Quanto ao descumprimento de maneira indireta, esta ocorre quando o genitor dificulta as visitas justificando-se através de falsos argumentos[558], como fantasiar que a criança está doente e, portanto, não pode ir à visita; programar passeios com o menor nas datas de visita, com a intenção de inibir o infante de encontrar o genitor; arguir que a visita não poderá ocorrer sobre o pretexto que o infante tem cursos extracurriculares na data programada para visita[559]; atrasa

---

555 BRASIL. Poder Judiciário do Estado de Mato Grosso. Cartilha Alienação Parental. Cuiabá, 2014. p. 8. Disponível em: <http://www.tjmt.jus.br/intranet.arq/downloads/Imprensa/NoticiaImprensa/file/2014/04%20-%20Abril/25%20-%20Cartilha%20-%20Aliena%C3%A7%C3%A3o.pdf>.

556 RAMOS, Patricia Pimentel de Oliveira Chambers. op. cit., p. 102

557 Ibid., p. 102

558 Ibid., p. 102

559 BRASIL. Poder Judiciário do Estado de Mato Grosso. Cartilha Alienação Parental. Cuiabá, 2014. p. 7. Disponível em: <http://www.tjmt.jus.br/intranet.arq/downloads/Imprensa/NoticiaImprensa/file

ou controla de maneira exorbitante os horários de visita e; durante todo o período de visita liga e envia mensagens ao menor de maneira contínua[560].

Outrossim, tal forma de alienação parental pode atingir avós, irmãos ou qualquer outra pessoa que tenha interesse na criança, não limitando-se somente ao genitor[561].

### 3.3.5 Omitir deliberadamente a genitor informações pessoais relevantes sobre a criança ou adolescente, inclusive escolares, médicas e alterações de endereço

O inciso V discorre sobre os atos de alienação parental em que o genitor ou responsável alienante não tem a intenção, propriamente dita, de afastar o filho do pai, mas sim, não compor ou mesmo excluir o genitor alienando das resoluções que envolvam a vida da criança[562].

Considerando que o genitor mesmo não sendo o guardião legal, tem a obrigação de participar da vida do filho, em

/2014/04%20-%20Abril/25%20-%20Cartilha%20-%20Aliena%C3%A7%C3%A3o.pdf>.

560 RAMOS, Patricia Pimentel de Oliveira Chambers. op. cit., p. 102

561 Ibid., p. 102

562 SOUZA, Juliana Rodrigues de. op. cit., p. 131

contrapartida, este tem o direito de envolver-se nas decisões acerca da vida da criança, conforme prevê o artigo 1.589 do Código Civil[563].

Portanto, no inciso em questão, na tentativa de originar uma lacuna entre o alienando e a criança ou adolescente, o alienador oculta ao outro genitor fatos relevantes e relação à vida do filho[564], deixando, por exemplo, de comunicá-lo sobre reuniões e demais eventos agendados na escola da criança[565] e não avisar ao pai sobre adversidades de saúde que tenham alvejado o menor[566].

Entretanto, diante da inércia ou da omissão por parte de um dos genitores no repasse de informações expressivas sobre o infante, pode o genitor alienado buscar estas informações por conta própria, em razão de o Código Civil em seu artigo 1.584, §6º, obriga todo estabelecimento privado ou público, sob pena de multa diária, que pairam de R$200,00 a R$500,00, a fornecer a ambos os pais informes sobre sua prole[567].

Um ponto importante sobre o inciso em análise refere-se ao veto a mudança repentina de domicílio, isto é, sem prévio aviso, do

---

563 BRASIL, Código Civil (2002). Brasília, DF: Senado Federal, 2002. Disponível em: <http://www.planalto.gov.br/ccivil_03/leis/2002/L10406.htm>.

564 BRASIL. Associação Brasileira Criança Feliz – ABCF. Cartilha sobre alienação parental. vol. I. Porto Alegre: 2014. p. 12. Disponível em: <http://criancafeliz.org/wp-content/uploads/2015/02/Cartilha-de-Alienacao-Parental-v-site.pdf>.

565 RAMOS, Patricia Pimentel de Oliveira Chambers. op. cit., p. 103

566 BRASIL. Poder Judiciário do Estado de Mato Grosso. Cartilha Alienação Parental. Cuiabá, 2014. p. 9. Disponível em: <http://www.tjmt.jus.br/intranet.arq/downloads/Imprensa/NoticiaImprensa/file/2014/04%20-%20Abril/25%20-%20Cartilha%20-%20Aliena%C3%A7%C3%A3o.pdf>.

567 BRASIL, Código Civil (2002). Brasília, DF: Senado Federal, 2002. Disponível em: <http://www.planalto.gov.br/ccivil_03/leis/2002/L10406.htm>.

detentor da guarda unilateral[568]. Cabe destacar que a mudança de endereço sem antecipada comunicação pode ocorrer nas hipóteses de violência doméstica, desde que seja demonstrado risco à criança e a mãe e, ocorra mediante autorização judicial[569].

### 3.3.6 Apresentar falsa denúncia contra genitor, contra familiares deste ou contra avós, para obstar ou dificultar a convivência deles com a criança ou adolescente

O inciso VI prevê a hipótese mais grave de alienação parental[570], bem como a de consequências mais hediondas, não só para criança, mas para toda família[571], sendo empregada quando

568 BRASIL. Escola Superior de Advocacia OAB/RS; BRASIL. Associação Brasileira Criança Feliz. Cartilha Alienação Parental; Vidas em Preto e Branco. Porto Alegre, 2012. p. 11. Disponível em: <https://www.mpma.mp.br/arquivos/CAOPIJ/docs/2._Cartilha_Alienacao_Parental_OAB-RS.pdf>.

569 RAMOS, Patricia Pimentel de Oliveira Chambers. op. cit., p. 103

570 BRASIL. Associação Brasileira Criança Feliz – ABCF. Cartilha sobre alienação parental. vol. I. Porto Alegre: 2014. p. 12. Disponível em: <http://criancafeliz.org/wp-content/uploads/2015/02/Cartilha-de-Alienacao-Parental-v-site.pdf>.

571 BRASIL. Escola Superior de Advocacia OAB/RS; BRASIL. Associação Brasileira Criança Feliz. Cartilha Alienação Parental; Vidas em Preto e Branco. Porto Alegre, 2012. p. 11. Disponível em: <https://www.mpma.mp.br/arquivos/CAOPIJ/docs/2._Cartilha_Alienacao_Parental_OAB-RS.pdf>.

frustradas todas as outras investidas de distanciar o genitor ou genitora de seu filho[572].

A falsa denúncia trata-se de atitude extrema[573], no qual o alienador, determinado a vingar-se do outro pai desconsidera o bem-estar do próprio filho e, sem ter a devida noção das consequências que irá produzir, oferece falsa denúncia em face do genitor alienado, normalmente sendo acusações de abuso sexual ou de violência doméstica, utilizando-se indevidamente da Lei nº 11.340, conhecida como Lei Maria da Penha[574].

Coloca-se que o ato de alienação parental pronunciado no inciso VI traz consequências cruéis, em virtude de que nos casos de suspeita de abuso sexual, tal tema provoca repulsa no ambiente de uma sociedade sadia, dando causa a reflexos de caráter negativo no genitor ou responsável acusado, na criança supostamente vítima do abuso, nas pessoas que guarnecem a relação familiar e na própria sociedade[575].

Seja no que tange a violência doméstica ou abuso sexual, as denunciações falsas provocam danos emocionais de difícil

---

572 SOUZA, Juliana Rodrigues de. op. cit., p. 132

573 BRASIL. Escola Superior de Advocacia OAB/RS; BRASIL. Associação Brasileira Criança Feliz. Cartilha Alienação Parental; Vidas em Preto e Branco. Porto Alegre, 2012. p. 11. Disponível em: <https://www.mpma.mp.br/arquivos/CAOPIJ/docs/2._Cartilha_Alienacao_Parental_OAB-RS.pdf>.

574 Ibid., p. 11. SOUZA, Juliana Rodrigues de. op. cit., p. 132

575 RAMOS, Patricia Pimentel de Oliveira Chambers. op. cit., p. 103-104

reparação[576], apesar de que, como já relatado, toda a família padecer nessas situações, por óbvio, a criança e o genitor denunciado são os mais afetados nessa situação, tendo em vista que o genitor tem sua imagem maculada perante toda a sociedade, sendo desprestigio muitas vezes inexpugnável[577]. Além disso, o falso denunciado, mesmo nos casos em que é apenas investigado, ou seja, é apenas suspeito, não havendo qualquer condenação penal em relação ao suposto abuso, está sujeito a ter sua imagem exposta em redes sociais como se criminoso condenado fosse e passando a sofrer com diversas formas de perseguição.

Quanto às avarias emocionais, na criança estas estão diretamente relacionadas à criação de memórias falsas pelo genitor ou responsável alienante[578], no qual o infante é aliciado a acreditar ter sofrido algum tipo de abuso, prejudicando seu desenvolvimento psíquico de maneira sadia e originando neste sentimentos de culpa que podem o acompanhar por toda vida, vez que reconheça que ao ter sido utilizado como mero objeto de manipulação e vingança,

---

576 BRASIL. Escola Superior de Advocacia OAB/RS; BRASIL. Associação Brasileira Criança Feliz. Cartilha Alienação Parental; Vidas em Preto e Branco. Porto Alegre, 2012. p. 11. Disponível em: <https://www.mpma.mp.br/arquivos/CAOPIJ/docs/2._Cartilha_Alienacao_Parental_OAB-RS.pdf>.

577 RAMOS, Patricia Pimentel de Oliveira Chambers. op. cit., p. 103

578 BRASIL. Associação Brasileira Criança Feliz – ABCF. Cartilha sobre alienação parental. vol. I. Porto Alegre: 2014. p. 12. Disponível em: <http://criancafeliz.org/wp-content/uploads/2015/02/Cartilha-de-Alienacao-Parental-v-site.pdf>.

tornou-se cumplice de uma falsa denúncia contra um ente querido inocente[579].

Nesse seguimento, considerando que nas denúncias não verdadeiras o menor apresenta somente sintomas emocionais e psicológicos, não demonstrando sintomas físicos e, dada a complexidade do processo[580], o Poder Judiciário tem o dever de averiguar a situação meticulosamente, e, consequentemente, submeterá a criança a uma série de entrevistas e avaliações com psicólogos judiciais habilitados, além de sujeitar esta a exames físicos, a fim de afastar qualquer hipótese de denúncia falsa[581].

Diante da importância dos referidos exames e testes, vê-se essencial que estes sejam realizados por profissionais qualificados e capacitados, que no caso das investigações físicas deverão buscar indícios materiais da prática do abuso. No que se refere aos testes psicológicos, o profissional habilitado terá de criar um ambiente confortável para criança e fazer indagações que não induzam as respostas do menor, fazendo com que este conte os fatos ocorridos de forma natural[582].

Dispostos a ilustrar a maneira recomendada que o profissional deve conduzir a entrevista com a criança ou com o

---

579 DIAS, Maria Berenice. Falsas memórias. Disponível em: <http://www.mariaberenice.com.br/manager/arq/(cod2_503)2__falsas_memorias.pdf>.

580 RAMOS, Patricia Pimentel de Oliveira Chambers. op. cit., p. 104

581 DIAS, Maria Berenice. Falsas memórias. Disponível em: <http://www.mariaberenice.com.br/manager/arq/(cod2_503)2__falsas_memorias.pdf>.

582 Ibid., p. 103-104

adolescente com o objetivo de elaborar seu laudo pericial, Ana Carolina Carpes Madaleno e Rolf Madaleno expõem uma entrevista no qual o psicólogo, utilizando-se dos métodos acima descritos, identificou sinais de alienação parental, descaracterizando e constatando a denúncia de abuso sexual como falsa:

> Avaliador:
>
> - Você sabe por que está aqui?
>
> Criança:
>
> - Sim. Acho que é para falar...sobre o meu pai.
>
> - O que você "acha" que tem de me falar sobre seu pai?
>
> - Sobre quando ele me dá banho na banheira.
>
> - Quem te falou sobre o que você deveria falar?
>
> - Minha mãe.
>
> [...]
>
> - Afinal, sobre o que você deveria me falar?
>
> - Sobre o... abuso.
>
> - Abuso? O que é um abuso?
>
> - Quando o papai me lava na banheira... Seu bobo (risos)... Isso é abuso.
>
> [...]
>
> - Como você sabe que isso é abuso?

- Mamãe me falou.

[...]

- Então como isso pode ser abuso?

- É abuso porque meu pai tem de ir embora... Ih... Eu não sei[583].

Como pode-se observar, o psicólogo não conduziu a entrevista de modo que a criança sentisse obriga a dar tal resposta. O profissional foi realizando perguntas com a intenção de que a criança contasse os fatos com suas palavras e ver se esta entendia o que estava acontecendo naquele momento. Os autores também discorrem que se fizer uso o psicólogo de perguntas como "seu pai alguma vez machucou você?", "você tem medo do seu pai?", obviamente o perito estará induzindo as respostas do menor[584].

Diante de todo o exposto, fica claro que a falsa denúncia de abuso produz consequências tanto no âmbito privado, no que se refere à família, tanto no âmbito público, uma vez que o referido exercício causa prescindível movimentação do poder judiciário e do corpo policial[585].

Ademais, compete o realce que o genitor ou responsável que praticar o ato previsto no inciso VI em análise, também incidirá no

---

583 MADALENO, Ana Carolina Carpes. op. cit., p. 61
584 Ibid., p. 60-61
585 RAMOS, Patricia Pimentel de Oliveira Chambers. op. cit., p. 103

crime de denunciação caluniosa, previsto no artigo 339 do Código Penal[586]:

> Art. 339. Dar causa à instauração de investigação policial, de processo judicial, instauração de investigação administrativa, inquérito civil ou ação de improbidade administrativa contra alguém, imputando-lhe crime de que o sabe inocente:
>
> Pena - reclusão, de dois a oito anos, e multa[587].

Nesse caso, tendo em vista que ao denunciar ou implantar na criança as memórias de um falso abuso o genitor alienante tinha a intenção de afastar o filho do outro genitor, entretanto, uma vez condenado pela prática do crime de denunciação caluniosa, poderá ele próprio ser afastado da criança ou do adolescente,

### 3.3.7 Mudar o domicílio para local distante, sem justificativa, visando a dificultar a convivência da criança ou adolescente com o outro genitor, com familiares deste ou com avós

---

586 Ibid., p. 103.

587 BRASIL, Código Penal (1940). Rio de Janeiro, DF: Senado Federal, 1940. Disponível em: <http://www.planalto.gov.br/ccivil_03/decreto-lei/Del2848compilado.htm>.

O último inciso do artigo 2º da Lei da Alienação Parental incide sobre o fato do genitor alienante, junto com a criança, deslocar seu domicílio para local distante ou de difícil acesso, sem apresentar justificativa plausível[588].

Em decorrência da separação e do divórcio, as partes acabam se ferindo emocionalmente e, em busca de sua reconstrução psicológica, procuram acolhimento em atmosferas em que se sintam confortáveis, que normalmente se tratam do seio de sua família[589]. Assim, o referido inciso não visa vetar que o genitor guardião mude seu domicílio, mas sim que tal mudança ocorra mediante justo motivo[590].

Isto posto, o real objetivo do inciso é evitar que eventual espaçamento emocional entre genitor e cria não ocorra por motivação do distanciamento físico imposto pelo alienador, vez que a ausência de convivência familiar de maneira regular expõe o núcleo familiar a situações que tendem a fragilizar as conexões sentimentais

---

588 BRASIL. Associação Brasileira Criança Feliz – ABCF. Cartilha sobre alienação parental. vol. I. Porto Alegre: 2014. p. 13. Disponível em: <http://criancafeliz.org/wp-content/uploads/2015/02/Cartilha-de-Alienacao-Parental-v-site.pdf>.

589 RAMOS, Patricia Pimentel de Oliveira Chambers. op. cit., p. 105

590 BRASIL. Escola Superior de Advocacia OAB/RS; BRASIL. Associação Brasileira Criança Feliz. Cartilha Alienação Parental; Vidas em Preto e Branco. Porto Alegre, 2012. p. 11. Disponível em: <https://www.mpma.mp.br/arquivos/CAOPIJ/docs/2._Cartilha_Alienacao_Parental_OAB-RS.pdf>.

pré-existentes, em que pese, nesta situação, vínculos emocionais entre pai e filho[591].

Assim, fica claro que o objetivo principal do inciso é inibir a mudança de endereço com o propósito específico de limitar, ou mesmo de findar o convívio do menor com o progenitor não detentor da guarda e seus respectivos familiares. O inciso também visa obrigar que nos casos de mudança necessária, o detentor da guarda unilateral facilite o acesso a criança, seja estimulando a comunicação com o outro genitor de maneira regular e/ou arcando com as despesas de deslocamento do infante para que este encontre seus familiares em períodos de férias[592].

Finalmente, após a análise do rol de atos que caracterizam a alienação parental, pode-se concluir que a prática das referidas ações por um dos genitores possui duas características. A primeira característica trata-se da tentativa de impedimento a qualquer forma de contato entre genitor alienado e prole, utilizando-se de artimanhas psicológicas que objetivam a desmoralização da imagem do outro genitor perante a criança, como alegações de que este é incapaz de exercer a guarda mesmo que temporária dos filhos, a fim de desestimular a criança a conviver com o próprio pai. A segunda refere-se à prática da alienação parental que possui como característica o desespero, e que infelizmente é corriqueiro em casos

---

591 BRASIL. Associação Brasileira Criança Feliz – ABCF. Cartilha sobre alienação parental. vol. I. Porto Alegre: 2014. p. 13. Disponível em: <http://criancafeliz.org/wp-content/uploads/2015/02/Cartilha-de-Alienacao-Parental-v-site.pdf>.

592 RAMOS, Patricia Pimentel de Oliveira Chambers. op. cit., p. 105

de divórcios delicados, na qual o alienador apela para falsas denúncias contra o outro ascendente, buscando que a justiça afaste-o da criança[593].

Igualmente, mais uma vez destaca-se que há outras formas do genitor ou outro responsável praticar no menor a alienação parental, tendo em vista que o rol analisado é apenas exemplificativo, sendo capaz o perito judicial constatar e o juiz reconhecer o desempenho da alienação através de outros atos[594]. Outrossim, o genitor alienante pode contar com a ajuda de terceiros ao praticar a alienação[595].

Ademais, não há a necessidade do exercício concreto de quaisquer das ações elencadas no artigo 2º para que medidas judiciais sejam tomadas, posto que, a fim de preservar a convivência familiar entre pai e filho, bem como a de guardar a saúde mental e psicológica da criança, pode o juiz, uma vez apontados indícios da alienação parental, aplicar todas as medidas que julgue necessárias para garantir o bem estar do menor, conforme estabelecido no artigo 4º da Lei nº 12.318[596].

---

593 SILVA, Denise Maria Perissini da. Guarda compartilhada e síndrome da alienação parental: o que é isso? / Denise Maria Perissini da Silva. – 2. ed. revista e atualizada – Campinas, SP: Armazém do Ipê, 2011. p. 60

594 BRASIL. Poder Judiciário do Estado de Mato Grosso. Cartilha Alienação Parental. Cuiabá, 2014. p. 7. Disponível em: <http://www.tjmt.jus.br/intranet.arq/downloads/Imprensa/NoticiaImprensa/file/2014/04%20-%20Abril/25%20-%20Cartilha%20-%20Aliena%C3%A7%C3%A3o.pdf>.

595 RAMOS, Patricia Pimentel de Oliveira Chambers. op. cit., p. 100

596 BRASIL. Lei n. 12.318, de 26 de agosto de 2010. Dispõe sobre a alienação parental e altera o art. 236 da Lei no 8.069, de 13 de julho de 1990. Disponível em: < http://www.planalto.gov.br/ccivil_03/_ato2007-2010/2010/lei/l12318.htm>.

Apesar da alienação parental na maioria dos casos estar relacionada à disputa pela guarda dos filhos e pelo divórcio, dada o melindre existente entre o casal, a alienação também pode ocorrer na constância do relacionamento familiar e conjugal[597].

## 3.4 CARACTERÍSTICAS DO ALIENADOR

O litígio de divórcio, por si só, já se trata de um processo desgastante, sendo que tal situação ainda se agrava quando uma das partes envolvidas é assolada por sentimentos de injustiça, mágoa e desespero e acaba descarregando encima da criança toda essa angústia acumulada durante todo processo de separação[598].

O referido desabafo emocional pode ocorrer de maneira proposital, que é quando o ascendente tem a intenção de afastar a criança do outro genitor, desmantelando qualquer forma de relacionamento entre estes e, assim, assegurando controle absoluto sobre o menor. Contudo, em alguns casos, o genitor de forma intencional e desacertada, dirige à criança todos os sentimentos negativos que mantém pelo ex-companheiro[599]. Fato é que, proposital ou não, o equivocado direcionamento de informações torna a criança vítima da alienação parental.

---

597 SOUZA, Juliana Rodrigues de. op. cit., p. 132

598 MADALENO, Ana Carolina Carpes. op. cit., p. 63. SOUZA, Juliana Rodrigues de. op. cit., p. 128

599 SOUZA, Juliana Rodrigues de. op. cit., p. 127-128

Inicialmente, apesar de demonstrado rapidamente nos títulos anteriores, cabe apontar quem de fato é o alienador.

Logo, claramente o genitor, em poucas exceções, é o responsável pela alienação parental. Entretanto, a figura do alienador não é exclusiva do ascendente, estendendo-se a todos os responsáveis pela criança[600]. Nesse seguimento, crianças e adolescentes podem sofrer alienação parental de avós e tios, que operam em desfavor do pai ou mãe alienado e em benefício de sua filiação[601], ou mesmo, ao perceberem as atitudes incorretas do alienante, não tomam nenhuma atitude[602].

Madrastas e padrastos, que na sociedade atual são comuns, também podem se tornarem alienadores, ao ponto que se introduzem sem respeitar limites na vida da criança e passam a disputar o afeto e a atenção com seus pais legítimos[603].

Considerando que em poucas situações as partes supra mencionadas detém a guarda unilateral do menor, fica claro que a alienação pode ocorrer durante períodos de visitas estabelecidos judicialmente ou acordados entre as partes. Posto isso, o alienante utiliza-se do período que deveria desfrutar da companhia da criança,

---

600 FARIAS, Cristiano Chaves de. Curso de direito civil: famílias, volume 6 / Cristiano Chaves de Farias; Nelson Rosenvald. – 7. ed. rev. ampl. e atual. – São Paulo: Atlas, 2015. p. 104-105

601 NADER, Paulo. op. cit., p. 401

602 SILVA, Denise Maria Perissini da. Guarda compartilhada e síndrome da alienação parental: o que é isso?, cit. p. 64

603 Ibid., p. 64

sendo ela sua neta, afilhada ou sobrinha, para manipular o menor, a fim de que este se rebele contra seu genitor guardião[604].

Nessa continuação, tendo em vista que a prática da alienação parental pode ocorrer por quem dispõe da vigilância e guarda da criança temporariamente. Assim, babás, psicólogos e professores também podem ser alienadores e instituirem inverdades na criança[605].

Pode-se observar que a alienação pode ser exercida dentro da esfera educacional, isto é, em escolas e instituições de ensino, nas quais, como é bem sabido, tratam-se de ambientes em que a criança ou adolescente passa grande parte do tempo, fazendo parte de suas rotinas e, justamente, em um período de grande importância, já que durante essa época o menor passa por todo processo de amadurecimento, cursando o caminho da infância à adolescência e à vida adulta[606].

A caracterização da alienação parental pelas instituições escolares se dá nos termos do inciso V, do artigo 2º da Lei nº 12.318/2010, que se refere à omissão no repasse de informações acerca do filho sobre seu desempenho pedagógico[607].

---

604 NADER, Paulo. op. cit., p. 401

605 MADALENO, Rolf. Curso de direito de família / Rolf Madalena. - 51 ed. rev., atual. e ampl. - Rio de Janeiro: Forense, 2013. p. 466

606 SILVA, Denise Maria Perissini da. Guarda compartilhada e síndrome da alienação parental: o que é isso?, cit. p. 76-78

607 Ibid., p. 78

As escolas, em contrapartida as motivações do genitor alienante que são de cunho estritamente pessoal, apresentam como justificativa para não fornecer informações educacionais a um dos pais o fato de que o pai detentor da guarda, e neste caso, alienador, proibiu expressamente a entrega de quaisquer dados em relação ao filho, sob a ameaça de transferência do menor para outra escola ou a de promover boicote a instituição. Quando a omissão por parte da escola ocorre por este motivo, evidentemente a escola confunde guarda com poder familiar, o que atesta desconhecimento da legislação nacional vigente[608].

Assim, considerando que tal postura das instituições era corriqueira e, diante das mudanças das relações familiares em relação à separação e divórcio, coube o ajuste da legislação, a fim de que a citada prática fosse inibida[609]. Desse modo, além do já analisado artigo 1.584, §6º do Código Civil, que obriga os estabelecimentos públicos e privados a fornecer informes acerca do infante a ambos os pais[610], em 06 de agosto de 2009 foi promulgada a Lei nº 12.013, chamada Lei de Diretrizes e Bases, que modificou o artigo 12 da Lei nº 9.394, obrigando as escolas a suprir os pais, conviventes ou separados, de todas as informações acadêmicas, ou seja, notas, frequência,

608 Ibid., p. 78
609 Ibid., p. 78
610 BRASIL, Código Civil (2002). Brasília, DF: Senado Federal, 2002. Disponível em: <http://www.planalto.gov.br/ccivil_03/leis/2002/L10406.htm>.

comportamento, além de informar sobre reuniões, festas e demais atividades escolares em que os pais estejam envolvidos:

> Art. 12. [...]
>
> VII - informar pai e mãe, conviventes ou não com seus filhos, e, se for o caso, os responsáveis legais, sobre a frequência e rendimento dos alunos, bem como sobre a execução da proposta pedagógica da escola[611].

Do mesmo modo, a instituição ao excluir o genitor alienado do ambiente escolar acaba agravando a alienação parental praticada pelo outro genitor, vez que o convívio de pai e filho é prejudicado, tornando-se assim, de forma indireta, partidário do genitor alienante[612].

Apresentados e clarificados os possíveis terceiros alienadores, passa-se a analisar o genitor alienante.

Como a própria expressão demonstra, genitor alienante refere-se ao agente vinculado à criança pelo grau de ascendência que, durante a relação conjugal ou após a separação, executa processo de degradação da imagem de um dos genitores, com o objetivo de transgredir vínculos afetivos, concebendo um distanciamento entre as

---

611 BRASIL. Lei n. 12.013, de 6 de agosto de 2009. Altera o art. 12 da Lei no 9.394, de 20 de dezembro de 1996, determinando às instituições de ensino obrigatoriedade no envio de informações escolares aos pais, conviventes ou não com seus filhos. Disponível em: <http://www.planalto.gov.br/ccivil_03/_ato2007-2010/2009/lei/l12013.htm>.

612 SILVA, Denise Maria Perissini da. Guarda compartilhada e síndrome da alienação parental: o que é isso?, cit. p. 76-78

partes e, como consequência, intercedendo no desenvolvimento emocional do infante[613].

Dessa forma, o aspecto do alienador se vê presente principalmente na esfera da genitora[614], mas isso decorre do fato de a mãe, na maioria dos casos, ser a titular da guarda da criança[615]. Dessarte, importante acentuar que o alienador pode ser ambos os genitores, independentemente de seu sexo, sendo o fator determinante para caracterização do alienador sua personalidade[616]. Desse modo, como visto nos capítulos anteriores, diversas são as estruturas familiares na sociedade atual e todos que as compõem podem ser alienadores.

Como apontado precedentemente, sentimentos de caráter especificamente pessoais são os fatores resolutivos para o genitor perpetrar a alienação parental, podendo ser estas inspirações de vingança contra o ex-cônjuge ou companheiro; sentimentos de injustiça; possessividade acerca dos filhos[617], no qual o genitor acredita o outro pai como um invasor e, assim, visa o alienante destruir o relacionamento de genitor e prole, com a finalidade de ter o controle de maneira soberana sobre o filho[618].

---

613 FARIAS, Cristiano Chaves de. op. cit., p. 104-105
614 DIAS, Maria Berenice. Manual de direito das famílias I, cit., p. 546
615 NADER, Paulo. op. cit., p. 401
616 SILVA, Denise Maria Perissini da. Guarda compartilhada e síndrome da alienação parental: o que é isso?, cit. p. 55
617 NADER, Paulo. op. cit., p. 401
618 SOUZA, Juliana Rodrigues de. op. cit., p. 126

Apesar da possibilidade de a alienação parental ocorrer durante o relacionamento do casal, em suma maioria, esta ocorre após o divórcio ou a separação do casal, sendo os sentimentos efetivados durante o processo de luto pelo rompimento do relacionamento, fatores determinantes para o desempenho da alienação. Nesse sentido, disserta Maria Berenice Dias que a utilização do filho como objeto de vingança se dá pelo fato do genitor alienante substituir os sentimentos nocivos acumulados durante o processo e após o divórcio por convicções de obsessão, vingança, controle, ódio etc.[619]:

> Muitas vezes, quando da ruptura da vida conjugal, se um dos cônjuges não consegue elaborar adequadamente o luto da separação, com o sentimento de rejeição, ou a raiva pela traição, surge o desejo de vingança que desencadeia um processo de destruição, de desmoralização, de descrédito do ex-parceiro. Sentir-se vencido, rejeitado, preterido, desqualificado como objeto de amor, pode fazer emergir impulsos destrutivos que ensejarão desejo de vingança, dinâmica que fará com que muitos pais se utilizem de seus filhos para o acerto de contas do débito conjugal[620].

Em continuação, o genitor alienante, ao ser analisado, apresenta padrões de comportamento e personalidade[621], os quais não tem sua origem drasticamente amarrada ao divórcio, mas sim, tais

---

619 DIAS, Maria Berenice. Manual de direito das famílias I, cit., p. 546
620 Ibid., p. 545
621 SOUZA, Juliana Rodrigues de. op. cit., p. 128

comportamentos já preexistiam[622], devendo ter sido repassados de geração para geração em sua família[623], sendo apenas potencializados ou aflorados em decorrência do litígio[624], quer fizer, presume-se que as referidas atuações são atiçadas no ascendente uma vez que este se vê sozinho e tomado por sentimentos que o trazem dor e sofrimento[625]. Nessa sequência, o genitor apresenta-se de maneira desrespeitosa ao ser analisado por profissional capacitado, dado que teme que esse reconheça indícios do exercício da alienação parental[626].

Alienadores são geralmente pais superprotetores[627], controladores[628], saturadas por um amor doentio pelo filho[629], que não aceitam a situação pela qual estão passando e, assim, passam a viver em uma realidade fantasiosa e distorcida criada por suas próprias mentes. Nessa perspectiva, esse é o momento em que a situação se torna crítica, posto que o genitor alienante transfere para a criança situações que não condizem com a realidade, criando nestas

---

622 SILVA, Denise Maria Perissini da. Guarda compartilhada e síndrome da alienação parental: o que é isso?, cit. p. 66

623 MADALENO, Ana Carolina Carpes. op. cit., p. 64

624 SILVA, Denise Maria Perissini da. Guarda compartilhada e síndrome da alienação parental: o que é isso?, cit. p. 66

625 SOUZA, Juliana Rodrigues de. op. cit., p. 128

626 Ibid., p. 127-128

627 SILVA, Denise Maria Perissini da. Psicologia jurídica no processo civil brasileiro: a interface da psicologia com o direito nas questões de família e infância, cit. p. 174

628 SILVA, Denise Maria Perissini da. Guarda compartilhada e síndrome da alienação parental: o que é isso?, cit. p. 66

629 BRASIL. Conselho Nacional de Justiça. Cartilha do divórcio para os pais. Brasília, 2013. p. 102. Disponível em: < http://www.cnj.jus.br/images/imprensa/cartilha_divorcio_pais.pdf>.

falsas memórias[630], que tem como intuito banir o genitor da vida desta[631].

Incluso na realidade que criou, o genitor alienante, envolto dos sentimentos de rancor, ódio e condenação, passa a ver a criança como simples objeto[632], de modo que passa a crer que o menor não é simplesmente seu filho, mas sim sua propriedade, tomando para si o controle total sobre a vida de sua prole[633].

Diante desta situação, o genitor alienante desenvolve sentimentos paranoicos e começa a vislumbrar todas as pessoas como uma ameaça, crendo que a qualquer momento estas podem apanhar seu filho. Assim, o genitor alienante faz com que a criança se torne plenamente dependente dele, uma vez que a isola de outros indivíduos, principalmente do outro progenitor e seus familiares, a qual imagina serem uma ameaça para si e para a criança[634].

Outro comportamento corriqueiro identificado em genitores alienantes trata-se do fato que este, independentemente das circunstâncias, porta-se como vítima da situação, apontando um terceiro como único culpado por todos os males que o aflige. Destaca-se que o ex-cônjuge não é sempre único causador indicado,

---

630 SILVA, Denise Maria Perissini da. Guarda compartilhada e síndrome da alienação parental: o que é isso?, cit. p. 66

631 SOUZA, Juliana Rodrigues de. op. cit., p. 127

632 SILVA, Denise Maria Perissini da. Guarda compartilhada e síndrome da alienação parental: o que é isso?, cit. p. 70

633 SILVA, Denise Maria Perissini da. Guarda compartilhada e síndrome da alienação parental: o que é isso?, cit. p. 126

634 SILVA, Denise Maria Perissini da. Guarda compartilhada e síndrome da alienação parental: o que é isso?, cit. p. 70

sendo que, em muitas situações, o alienante atribui seu sofrimento a familiares que, supostamente, nunca o apoiaram; novos namorados do ex-companheiro, os quais alegam serem os responsáveis pela separação, além do fato de tentar usurpar seu filho, e; atacam o poder judiciário e juízes por decisões que, em tese, destruíram suá vida[635].

Nesse seguimento, o genitor ao se vitimar tem a ilusão de que assim irá gerar uma comoção daqueles que o torneiam e, consequentemente, conseguirá favorecimentos. Tais benefícios se não alcançados, fazem com que o genitor porte-se ainda mais como vítima[636]. Denise Maria Perissini da Silva discorre que ao se comportar dessa maneira, o alienador demonstra comportamento individualista, passando a ignorar sentimentos e insuficiências de outros, inclusive de sua prole[637]:

> O problema é que, diante da exploração da vitimização que o (a) alienador (a) alega ter "sofrido", passa a exprimir emoções falsas, manipular terceiros de boa-fé, desconsiderar interesses, necessidades e desejos dos outros (principalmente de seus próprios filhos!), passa a considerar apenas suas próprias necessidades e é incapaz de analisar situações por outros prismas que não o seu, hipervalorizando o próprio "sofrimento"[638].

Ademais, não identificados e cuidados, os comportamento acima citados podem convergir para patologias, distúrbios

635 Ibid., p. 70
636 Ibid., p. 70-73
637 Ibid., p. 67-68
638 Ibid., p. 67-68

psicológicos e o desenvolvimento de síndromes. Ana Carolina Carpes Madaleno e Rolf Madaleno desenvolvem que em genitores ou responsáveis alienantes é comum a identificação de transtornos comportamentais, bem como o transtorno de personalidade paranoide, que concerne-se do comportamento paranoico, no qual a pessoa faz uso da refusão como mecanismo de defesa; o transtorno de personalidade *limítrofe* ou *borderline*, que se trata da repentina e constante mudança de comportamento por parte do afetado toda vez que esse se vê diante de uma situação que é removido da sua chamada "zona de conforto", sendo esta real ou não, e; o transtorno de personalidade antissocial, que se caracteriza pela ausência de afeição por sentimentos de terceiros e pela profanação e desrespeito de leis e direitos de outras pessoas[639].

Ana Carolina Carpes Madaleno e Rolf Madaleno também discorrem que, além de transtornos, alienadores podem ser acometidos por síndromes, como a Síndrome de Münchausen, que se identifica pelo fato do agente simular, dar causa ou provocar sintomas de doenças, de maneira compulsiva. A referida síndrome pode ser identificada em genitores alienantes, vez que um de seus indícios se trata do fato da provocação e invenção de falsas doenças ser direcionada ao filho[640].

Por fim, tem-se a figura do autoalienador, que nada mais é que o genitor que pratica atos de alienação parental, como implantação de falsas memórias, realização de campanha de

---

639 MADALENO, Ana Carolina Carpes. op. cit., p. 64
640 Ibid., p. 65

desmoralização etc., porém, contra si próprio, com o objetivo de agredir o outro pai. Na autoalienação parental, a parte se distancia propositalmente da criança, toma atitudes que fazem com que o filho se afaste, chantageia a prole emocionalmente, ou seja, age com todas as possíveis formas de alienação já analisadas, tendo como objetivo alegar que o outro genitor exerceu a alienação parental e o distanciou de seu filho[641].

Portanto, pode-se concluir que o alienador trata-se da pessoa inconformada com o encerramento de um relacionamento ou com a atual situação de vida em que se encontra, que não consegue encarar os sentimentos que a rodeiam, que tenta atingir, através de sua prole, o outro genitor, utilizando a criança como mera ferramenta de vingança[642].

Entretanto, esquece-se o genitor alienante de que, assim como ele, os filhos também sofrem com o divórcio dos pais e o consequente distanciamento de um deles. Durante do processo de separação, o filho necessita conversar abertamente com genitor, para que a criança e o adolescente sejam capazes de subjugar este momento triste e conturbado em sua vida. Nesse sentido, fica evidente a degeneração do alienador, uma vez que aproveita-se do momento de fragilidade emocional do menor e, de maneira calculista e contínua, implanta sentimentos antagônicos ao outro genitor, que são particulares dele, provocando consequências severas no infante,

---

641 PEREIRA, Caio Mário da Silva. op. cit., p. 361-362

642 DIAS, Maria Berenice. Manual de direito das famílias I, cit., p. 545

no campo emocional e jurídico, os quais serão analisados nos próximos títulos[643].

## 3.5 CONSEQUÊNCIAS DA ALIENAÇÃO PARENTAL NA CRIANÇA E NO ADOLESCENTE

Como pôde ser observado nos títulos anteriores, trata-se da criança e o adolescente um dos mais afetados, se não o mais, pela alienação parental.

O alienador ao empregar a criança como instrumento de ataque, tendo o plano de afetar o outro genitor para que este padeça com o distanciamento do filho, ou mesmo sofra judicialmente, como nos casos de falsa denúncia de abuso. Para tanto, o genitor alienante ignora o bem-estar da criança, transformando-o em um simples objeto de manipulação e vingança, e, o menor, no papel de filho, sobrinho, neto, afilhado etc., acaba também sendo atingido, diante da nocividade do comportamento de seu genitor ou responsável[644].

As referidas condutas exercidas de maneira reiterada e incessante[645], que nada mais são que um meio de violência[646],

---

643 MADALENO, Rolf. op. cit., p. 461-466
644 NADER, Paulo. op. cit., p. 402
645 Ibid., p. 402
646 PEREIRA, Rodrigo da Cunha. op. cit., p. 74

provocam na criança ou adolescente distúrbios psicológicos[647] e destroem ligações essenciais para a vida deste, fazendo-o abominar e desrespeitar um de seus responsáveis[648].

A criança que cresce em um ambiente no qual o genitor exerce a alienação parental de maneira incessante, tornando a casa em que vivem em um recinto completamente negativo para o desenvolvimento psicológico sadio do menor, faz com que este incline-se a se adaptar a situação[649]. Nesse seguimento, Ana Carolina Carpes Madaleno e Rolf Madaleno apontam que tal adaptação, considerando que está se dá para um ambiente hostil, acarreta no menor comportamentos nefastos e incompatíveis com sua idade:

> Para sobreviver, esses filhos aprendem a manipular, tornam-se prematuramente espertos para decifrar o ambiente emocional, aprendem a falar apenas uma parte da verdade e a exprimir falsas emoções, se tornam crianças que não têm tempo para se ocupar com as preocupações próprias da idade, cuja infância lhe foi roubada pelo desatinado e egoísta genitor que o alienou de um convívio sadio e fundamental[650].

Na situação acima descrita, ao apresentar esse comportamento, a criança já se encontra em um nível grave de instauração da alienação parental. Nesse sentido, a doutrina aponta

---

647 PEREIRA, Caio Mário da Silva. op. cit., p. 357
648 SOUZA, Juliana Rodrigues de. op. cit., p. 149
649 MADALENO, Ana Carolina Carpes. op. cit., p. 66
650 Ibid., p. 66

que o estabelecimento da alienação parental pode atingir três níveis: leve, médio e grave[651].

No primeiro estágio, o de grau leve, o menor começa a absorver as falsas memórias repassadas pelo alienador, a fim de manchar a imagem do genitor alienado[652]. Nesse estágio, o esforço de desonrar o outro genitor é realizado de maneira sútil, mas persistente[653]. Fato é que, com o tempo, diante das manobras do genitor alienante realizadas de maneira persistente, a criança e o adolescente começam a acreditar em tudo que lhe é falado, tendo em vista que ainda não possui a necessária capacidade cognitiva para compreender que está sendo alvo de uma manipulação arquitetada por um de seus genitores ou responsáveis[654]. Nesse estágio, as visitas do genitor alienado tendem a ser atrapalhadas[655], vez que o menor começa a temer uma reprovação por parte do genitor guardião alienante, dado que esboce sentimentos de alegria e felicidade ao se dirigir a visita com o outro genitor, ora alienado[656]. Nesse sentido, Ana Carolina Carpes Madaleno afirma que nesta fase a criança tem a fidelidade que nutri por ambos os pais posta à prova:

651 PEREIRA, Rodrigo da Cunha. op. cit., p. 74

652 SILVA, Denise Maria Perissini da. Guarda compartilhada e síndrome da alienação parental: o que é isso?, cit. p. 82

653 PEREIRA, Rodrigo da Cunha. op. cit., p. 74

654 DIAS, Maria Berenice. Alienação parental e suas consequências. Disponível em: <http://www.mariaberenice.com.br/manager/arq/(cod2_500)alienacao_parental_e_suas_consequencias.pdf>.

655 BRASIL. Conselho Nacional de Justiça. Cartilha do divórcio para os pais. Brasília, 2013. p. 100. Disponível em: < http://www.cnj.jus.br/images/imprensa/cartilha_divorcio_pais.pdf>.

656 GARDNER, Richard Alan. Does DSM-IV Have Equivalents for the Parental Alienation Syndrome (PAS) Diagnosis?. Disponível em: < https://www.fact.on.ca/Info/pas/gard02e.htm>.

> A chamada lealdade parental é visível, pois o filho, mesmo sem querer, sente que precisa tomar partido, em sua cabeça infantil, tal ação garante, inclusive, sua sobrevivência, pois necessita ser leal àquele que é seu cuidador efetivo, concordando com suas afirmações e tendo que desempenhar um duplo papel, qual seja o de não gostar do genitor alienado na frente do alienador e o de poder demonstrar seus sentimentos quando está a sós com o excluído[657].

Richard A. Gardner afirma que, em alguns casos de alienação parental em grau leve, a criança pode apresentar sintomas do Transtorno Psicótico Compartilhado, também conhecido como *folie à deux*[658], que se trata de um distúrbio psicológico no qual a criança se isola de outras pessoas, mantendo vínculos afetivos, de maneira intensa, somente com o genitor alienante[659]. Gardner enfatiza que a *folie à deux* manifesta-se principalmente nos casos de alienação parental em grau médio[660].

---

[657] MADALENO, Ana Carolina Carpes. A Alienação Parental, suas consequências e a busca de soluções à luz das Constelações Familiares e do Direito Sistêmico. Disponível em: <http://carpesmadaleno.com.br/gerenciador/doc/ce3c93873e2f4ac433a5bdac5c8f5b7daaliena_C_eoparentalsuasconsequ_unciaseabuscadesolu_C_Ies_aluzdasconstela_C_Iesfamiliaresedodireitosist_umico.pdf>.

[658] GARDNER, Richard Alan. Does DSM-IV Have Equivalents for the Parental Alienation Syndrome (PAS) Diagnosis?. Disponível em: < https://www.fact.on.ca/Info/pas/gard02e.htm>.

[659] MADALENO, Ana Carolina Carpes. Síndrome da Alienação Parental: importância da detecção – aspectos legais e processuais, cit., p. 64

[660] GARDNER, Richard Alan. Does DSM-IV Have Equivalents for the Parental Alienation Syndrome (PAS) Diagnosis?. Disponível em: < https://www.fact.on.ca/Info/pas/gard02e.htm>.

Na alienação parental de grau médio, a campanha de desmoralização da imagem do genitor alienado faz-se consistente[661], no qual o alienador passa a empregar diversos mecanismos com a finalidade de atingir o outro pai[662]. No grau médio, o distanciamento físico da prole com o genitor alienado contribui para que nasça uma cumplicidade entre criança e genitor alienante, fortalecendo o entendimento na criança de alienador bom e alienado ruim[663]. O referido fortalecimento acontece devido ao transpasse de sentimentos do genitor alienante para seu filho, podendo ocorrer de maneira franca, que é quando o alienador fala diretamente para criança sobre problemas e defeitos de seu outro pai, ou de maneira velada, que ocorre quando o genitor ou responsável alienante demonstra seus sentimentos, através de seu tom de voz ou de seu comportamento, a fim de que a criança compreenda que o genitor alienado não se trata de uma boa pessoa[664].

A criança ou adolescente afligida pela alienação parental em fase média começa a notar um conflito interno, em razão de amar o genitor alienado, mas perceber que não pode manter o contato com

---

661 MADALENO, Rolf. op. cit., p. 467

662 BRASIL. Conselho Nacional de Justiça. Cartilha do divórcio para os pais. Brasília, 2013. p. 100. Disponível em: < http://www.cnj.jus.br/images/imprensa/cartilha_divorcio_pais.pdf>.

663 MADALENO, Rolf. op. cit., p. 467

664 MADALENO, Ana Carolina Carpes. A Alienação Parental, suas consequências e a busca de soluções à luz das Constelações Familiares e do Direito Sistêmico. Disponível em: <http://carpesmadaleno.com.br/gerenciador/doc/ce3c93873e2f4ac433a5bdac5c8f5b7daaliena_C_eoparentalsuasconsequ_unciaseabuscadesolu_C_Ies_aluzdasconstela_C_Iesfamiliaresedodireitosist_umico.pdf>.

ele, pois tal atitude desagrada o outro genitor[665]. Assim, a criança começa a recusar as visitas com o genitor não guardião, vez que na presença do genitor alienante, não sente a pressão do conflito acima citado. Porém, após a criança ser entregue ao genitor na data de visitação e se afastar do genitor alienante, as divergências se extinguem e o menor aproveita o convívio com seu pai[666].

Nesse estágio, o menor começa a contribuir com genitor alienante na campanha de desmoralização do outro genitor[667] e passa a expressar pensamentos inapropriados a mentalidade de uma criança[668], como por exemplo, em processo de divórcio litigioso que tramitou no Tribunal de Justiça do Estado de São Paulo, o qual não será referenciado em razão do segredo justiça, nos termos do artigo 189, II, do Código de Processo Civil[669], uma criança de sete anos de idade, durante o estudo psicológico e social, ao ser indagado pela psicóloga sobre o que achava da atual namorada do genitor,

---

665 SILVA, Denise Maria Perissini da. Guarda compartilhada e síndrome da alienação parental: o que é isso?, cit. p. 82

666 MADALENO, Ana Carolina Carpes. A Alienação Parental, suas consequências e a busca de soluções à luz das Constelações Familiares e do Direito Sistêmico. Disponível em: <http://carpesmadaleno.com.br/gerenciador/doc/ce3c93873e2f4ac433a5bdac5c8f5b7daaliena_C_eoparentalsuasconsequ_unciaseabuscadesolu_C_Ies_aluzdasconstela_C_Iesfamiliaresedodireitosist_umico.pdf>.

667 PEREIRA, Rodrigo da Cunha. op. cit., p. 74

668 MADALENO, Ana Carolina Carpes. A Alienação Parental, suas consequências e a busca de soluções à luz das Constelações Familiares e do Direito Sistêmico. Disponível em: <http://carpesmadaleno.com.br/gerenciador/doc/ce3c93873e2f4ac433a5bdac5c8f5b7daaliena_C_eoparentalsuasconsequ_unciaseabuscadesolu_C_Ies_aluzdasconstela_C_Iesfamiliaresedodireitosist_umico.pdf>.

669 BRASIL. Código de Processo Civil (2015). Código de Processo Civil Brasileiro. Brasília, DF: Senado, 2015. Disponível em: <http://www.planalto.gov.br/ccivil_03/_ato2015-2018/2015/lei/l13105.htm>.

respondeu: "tá com ele não porque gosta dele, e sim porque tem muito dinheiro". Assim, observou a psicóloga que tal fala da criança evidentemente se tratava de uma indução realizada por algum adulto e, ao final de laudo pericial, a profissional concluiu que a referida criança, bem como ser irmão, eram vítimas de alienação parental por parte da genitora.

Diante dos conflitos emocionais e da consistente prática da alienação parental, a criança alienada de maneira moderada demonstra traços de depressão[670]. Entretanto, mencionados indícios não devem ser confundidos com as falsas doenças que somente são alegadas para evitar as visitas[671].

Enfim, o estágio médio da alienação parental é o momento em que se inicia de maneira mais acentuada o distanciamento entre criança e genitor alienante e, assim sendo, o rompimento dos vínculos afetivos entre estes[672].

O terceiro grau de alienação parental, o de estágio grave, a criança alimenta sentimentos de ódio pelo genitor, rejeitando-o e o evitando a todo o momento e não só nos períodos de visita. Assim,

---

670 SILVA, Denise Maria Perissini da. Guarda compartilhada e síndrome da alienação parental: o que é isso?, cit. p. 82

671 MADALENO, Ana Carolina Carpes. A Alienação Parental, suas consequências e a busca de soluções à luz das Constelações Familiares e do Direito Sistêmico. Disponível em: <http://carpesmadaleno.com.br/gerenciador/doc/ce3c93873e2f4ac433a5bdac5c8f5b7daaliena_C_eoparentalsuasconsequ_unciaseabuscadesolu_C_Ies_aluzdasconstela_C_Iesfamiliaresedodireitosist_umico.pdf>.

672 Ibid.

os conflitos emocionais supra citados desvanecem, restando somente repugnância ao outro genitor[673].

Rolf Madaleno, nesse sentido, sustenta que na alienação parental em estágio grave os vínculos afetivos entre filho e pai alienado são completamente rompidos:

> nos casos severos de alienação parental, os menores encontram-se extremamente perturbados e as visitas são muito difíceis ou sequer ocorrem e o vínculo é totalmente cortado entre o filho e o genitor alienado e nesta fase o menor mostra-se claramente programado a odiar o ascendente alienado[674].

O menor alienado, neste estágio, absorveu todo rancor e ódio sustentado pelo progenitor alienante pelo outro pai[675]. Dessa maneira, além de reiterar o que lhe foi mencionado pelo genitor alienante, o menor alienado ofende e ataca o genitor alienante utilizando-se de seu próprio vocabulário, assim, não há mais a necessidade da influência constante do alienando, considerando que o infante já desenvolveu e consolidou antipatia pelo alienado de forma independente[676]. Posto isso, a criança passa a manipular e exprimir

---

[673] SILVA, Denise Maria Perissini da. Guarda compartilhada e síndrome da alienação parental: o que é isso?, cit. p. 82

[674] MADALENO, Rolf. op. cit., p. 467

[675] MADALENO, Ana Carolina Carpes. A Alienação Parental, suas consequências e a busca de soluções à luz das Constelações Familiares e do Direito Sistêmico. Disponível em: <http://carpesmadaleno.com.br/gerenciador/doc/ce3c93873e2f4ac433a5bdac5c8f5b7daaliena_C_eoparentalsuasconsequ_unciaseabuscadesolu_C_Ies_aluzdasconstela_C_Iesfamiliaresedodireitosist_umico.pdf>.

[676] Ibid.

emoções, sempre com o intuito de atender aos interesses do genitor alienante[677].

Cabe o destaque que a referida independência acima citada refere-se somente a condição de ódio ao outro alienado, vez que, defronte a destruição dos vínculos com outras pessoas e o fortalecimento dos laços com o genitor ou responsável alienante, a criança desenvolve uma dependência cognitiva em relação a este, seja no quesito de superveniência ou emocional[678]. O genitor alienante ao ver que não há mais a necessidade de nutrir constantemente ódio pelo outro pai, desenvolve um desejo compulsivo pelo suposto bem estar da criança[679] e tenta o afastar de todas as aflições e dificuldades, que como sabido, são corriqueiros na vida de toda pessoa e, assim, acabam tornando a criança ainda mais dependente, fator este que poderá perdurar até alcançada a maioridade pelo menor[680].

Outrossim, em dias de visitas, a criança e o adolescente são levados ao desespero pelo fato de terem que conviver com o genitor alienado, pelo qual possui uma imagem totalmente deturpada[681]. O pânico que se instaura no infante por ter que ir a visita é tamanho que

---

677 SILVA, Denise Maria Perissini da. Guarda compartilhada e síndrome da alienação parental: o que é isso?, cit. p. 82

678 Ibid., p. 82

679 MADALENO, Ana Carolina Carpes. A Alienação Parental, suas consequências e a busca de soluções à luz das Constelações Familiares e do Direito Sistêmico. Disponível em: <http://carpesmadaleno.com.br/gerenciador/doc/ce3c93873e2f4ac433a5bdac5c8f5b7daaliena_C_eoparentalsuasconsequ_unciaseabuscadesolu_C_Ies_aluzdasconstela_C_Iesfamiliaresedodireitosist_umico.pdf>.

680 SILVA, Denise Maria Perissini da. Guarda compartilhada e síndrome da alienação parental: o que é isso?, cit. p. 82

681 PEREIRA, Rodrigo da Cunha. op. cit., p. 74

vê-se frequente casos em que a criança foge da casa do genitor alienado e retorna para casa do genitor detentor da guarda, *in casu*, alienador[682].

Nos casos em que a criança e o adolescente comparecem a visita, esta é caracterizada por um ambiente de hostilidade, porquanto o menor, envolto pelo ódio e desprezo implantado pela prática de alienação parental, dirige ofensas ao genitor alienado, além de explosões de fúria[683] que podem ocasionar em intimidações físicas por meio de gritos e ataques com objetos, tais como garrafas, facas ou qualquer tipo de objeto que possa lesionar o pai vítima da alienação[684].

Nesse sentido, Richard A. Gardner afirma que além das ameaças físicas, a criança e o adolescente sob os efeitos da alienação parental em estado grave, aproveita-se da visitação para promover ações de vandalismo e sabotagem na casa do genitor alienado:

> A criança pode perpetrar atos de sabotagem na residência do genitor da vítima. A destruição da propriedade na residência dessa pessoa é comum e,

---

682 GARDNER, Richard Alan. Does DSM-IV Have Equivalents for the Parental Alienation Syndrome (PAS) Diagnosis?. Disponível em: < https://www.fact.on.ca/Info/pas/gard02e.htm>.

683 MADALENO, Ana Carolina Carpes. A Alienação Parental, suas consequências e a busca de soluções à luz das Constelações Familiares e do Direito Sistêmico. Disponível em: <http://carpesmadaleno.com.br/gerenciador/doc/ce3c93873e2f4ac433a5bdac5c8f5b7daaliena_C_eoparentalsuasconsequ_unciaseabuscadesolu_C_Ies_aluzdasconstela_C_Iesfamiliaresedodireitosist_umico.pdf>.

684 GARDNER, Richard Alan. Does DSM-IV Have Equivalents for the Parental Alienation Syndrome (PAS) Diagnosis?. Disponível em: < https://www.fact.on.ca/Info/pas/gard02e.htm>.

> em raras ocasiões, provocam incêndios. A defraudação é comum, em especial a produção de falsificações, facilitadas e apoiadas pelo alienador. Roubar coisas tais como documentos jurídicos e registros importantes, e trazê-los para a residência do alienador é comum (tradução nossa)[685].

Da mesma maneira, Ana Carolina Carpes Madaleno pondera que o menor alienado nem sempre reage à visitação da maneira supra descrita, visto que em determinados casos, a criança procede de forma inversa, se oprimindo na presença do pai, isto é, não encara o genitor nos olhos, fica todo o período de visita calado ou responde perguntas com outras perguntas, a fim de excluir quaisquer chances de diálogo[686].

Entretanto, ao ponto em que a alienação parental atinge esse nível, de maneira comum, as visitas são interrompidas, podendo ocorrer por recusa incisiva do menor; desistência do genitor alienado, uma vez que o ambiente para visitação tornou-se insuportável, porém, salienta-se que, nesse caso, Juliana Rodrigues de Souza afirma que a criança estará ainda mais vulnerável a alienação parental e suas consequências, como o desenvolvimento de patologias[687]; ou mesmo por medida judicial, que pode ocorrer nas hipóteses de falsas

---

685 Ibid.

686 MADALENO, Ana Carolina Carpes. A Alienação Parental, suas consequências e a busca de soluções à luz das Constelações Familiares e do Direito Sistêmico. Disponível em: <http://carpesmadaleno.com.br/gerenciador/doc/ce3c93873e2f4ac433a5bdac5c8f5b7daaliena_C_eoparentalsuasconsequ_unciaseabuscadesolu_C_Ies_aluzdasconstela_C_Iesfamiliaresedodireitosist_umico.pdf>.

687 SOUZA, Juliana Rodrigues de. op. cit., p. 150

denúncias de abuso[688], tendo em vista que neste estágio de alienação parental a criança apresenta-se mais suscetível a introdução de memórias falsas, fazendo com que o alienador se aproveite deste momento e faça com que o filho ou menor sob o qual é responsável acredite ter vivido incidentes de agressão física ou abuso sexual por parte do genitor alienado[689].

Denise Maria Perissini da Silva defende que a situação acima narrada refere-se a uma conjuntura perigosa, vez que o menor afetado severamente pela alienação parental, envolvido por falsas memórias, ou seja, não sabendo mais diferenciar o que é real e o que não é, ao se deparar com situações de desconforto, como desacordos com chefes ou professores, pode decidir-se por denunciá-los pela prática de abuso moral ou sexual, evidentemente, de maneira caluniosa[690].

Igualmente, na fase mais gravosa da alienação parental, como dito anteriormente, a criança e o adolescente estão mais aptas ao desenvolvimento de patologias e distúrbios psicológicos[691]. Isto posto, a Síndrome da Alienação Parental (SAP), analisada em título

---

688 MADALENO, Ana Carolina Carpes. A Alienação Parental, suas consequências e a busca de soluções à luz das Constelações Familiares e do Direito Sistêmico. Disponível em: <http://carpesmadaleno.com.br/gerenciador/doc/ce3c93873e2f4ac433a5bdac5c8f5b7daaliena_C_eoparentalsuasconsequ_unciaseabuscadesolu_C_Ies_aluzdasconstela_C_Iesfamiliaresedodireitosist_umico.pdf>.

689 SILVA, Denise Maria Perissini da. Guarda compartilhada e síndrome da alienação parental: o que é isso?, cit. p. 82

690 Ibid., p. 83

691 Ibid., p. 82

anterior, é o mais comum dos distúrbios identificados em menor em grau três de alienação parental.

Richard A, Gardner discorre que a Síndrome da Alienação Parental, além de apresentar características e consequências similares às descritas neste título, também exibe oito indicativos que crianças ou adolescente sob os efeitos da referida síndrome ou em grau médio e grave de alienação parental demonstram[692]:

> 1. Uma campanha denegritória
>
> 2. Racionalizações fracas, absurdas ou frívolas para a depreciação
>
> 3. Falta de ambivalência
>
> 4. O fenômeno do "pensador independente"
>
> 5. Apoio automático ao genitor alienador no conflito parental
>
> 6. Ausência de culpa sobre a crueldade a e/ou a exploração contra o genitor alienado
>
> 7. A presença de encenações emprestados
>
> 8. Propagação da animosidade aos amigos e/ou à família extensa do genitor alienado (tradução nossa)[693].

---

692 GARDNER, Richard Alan. Does DSM-IV Have Equivalents for the Parental Alienation Syndrome (PAS) Diagnosis?. Disponível em: < https://www.fact.on.ca/Info/pas/gard02e.htm>.
693 Ibid.

Tal rol, apesar de apresentados como sintomas, pode ser definido como consequências da prática incessante de alienação parental. À vista disso, cabe uma breve análise das declaradas consequências da alienação parental na criança.

Um dos sintomas da SAP apontado por Richard A. Gardner, trata-se da campanha denigritória realizada pelo menor contra o genitor alienado, que se dá nos casos em que a criança demonstra afeto e amor pelo genitor e não há nenhum indício de abuso ou maus-tratos, contudo, de maneira inexplicável, o infante passa a demonstrar aversão por este[694].

Richard A. Gardner também elenca como consequências da SAP a apresentação de justificativas precárias, ineficazes e inconcebíveis da criança para justificar a sua maculação contra o genitor alienado. Nesse aspecto, o doutrinador discorre que não há justo motivo para que criança se afaste de um dos genitores e, quando questionada, essa utiliza-se de argumentos não convincentes, se apegando a situações que ocorrem normalmente na relação entre pai e filho, tal como broncas, chamadas de atenção etc., ou seja, explica-se através de acontecimentos irrelevantes e que comumente são de rápido esquecimento da criança[695].

---

694 OLIVEIRA, Mário Henrique Castanho Prado de. A alienação parental como forma de abuso à criança e ao adolescente. 2012. Dissertação (Mestrado em Direito Civil) - Faculdade de Direito, Universidade de São Paulo, São Paulo, 2012. p. 125

695 GARDNER, Richard Alan. Legal And Psychotherapeutic Approaches To The Three Types Of Parental Alienation Syndrome Families. Disponível em: <https://www.fact.on.ca/Info/pas/gardnr01.htm>.

A falta de ambivalência em relação aos pais, outra consequência apontada por Gardner, nada mais é que a incapacidade da criança em identificar defeitos e qualidades coexistentes nos pais, visualizando somente um genitor totalmente bom e outro completamente ruim[696].

Assim, mencionada consequência refere-se ao fato da criança não conseguir visualizar virtudes no alienado, embora tenha vivido momentos satisfatórios com este. Em contrapartida, o infante não enxerga defeitos no genitor alienante, sempre o vendo de maneira imaculada[697].

A consequência denominada "pensador independente" refere-se as hipóteses em que a criança apresenta completa aversão ao genitor alienado, tendo atitudes que claramente são idealizadas pelo genitor ou responsável alienante, porém, a criança afirma, de modo orgulhoso, que a rejeição a um dos pais partiu por decisão exclusiva sua, negando veemente qualquer participação ou influência do alienador[698].

Em complemento ao sintoma supra citado, tem-se o apoio automático ao genitor alienador no conflito parental, o qual Richard A. Gardner define como a situação em que o menor, apesar de ter ciência dos atos arbitrários do alienador em face do outro genitor, o defende irrefletidamente, negando-se a perceber a versão dos fatos e

---

696 GARDNER, Richard Alan. Recent Trends in Divorce and Custody Litigation. Disponível em: <https://www.fact.on.ca/Info/pas/gardnr85.htm>.
697 OLIVEIRA, Mário Henrique Castanho Prado de. op. cit., p. 125
698 Ibid., p. 125-126

justificativas do genitor alienado[699]. Salienta-se que a criança sob estes efeitos porta-se da mesma maneira perante sua família, psicólogos e juízes[700].

Pode-se observar a severidade da Síndroma da Alienação Parental dita no tópico sete do rol apresentado por Gardner, que é quando o infante reage de modo indiferente ao seu genitor alienado, não demonstrando remorso ou culpa por atividades desrespeitosas que afligiram um de seus pais. Continuamente, o menor também procede-se de forma desinteressada às tentativas do genitor alienado em manter ou fortalecer os vínculos afetivos ora fragilizados em decorrência da alienação parental[701].

Acerca deste sintoma, Richard A. Gardner discorre o que segue:

> A criança pode exibir um desrespeito inocente pelos sentimentos do pai odiado. Haverá uma completa ausência de gratidão por presentes, pagamentos de apoio e outras manifestações do envolvimento e afeto contínuos do pai odiado. Frequentemente, essas crianças querem ter certeza de que o genitor alienado continua a fornecer pagamentos de alimentos, mas, ao

---

699 OLIVEIRA, Mário Henrique Castanho Prado de. op. cit., p. 126 apud GARDNER, Richard. The parental Alienation Syndrome. 2nd ed. Cresskill, NJ: Creative Therapeutics Inc., 1998, p. 96

700 OLIVEIRA, Mário Henrique Castanho Prado de. op. cit., p. 126

701 Ibid., p. 127

> mesmo tempo, se recusam a visitar esse genitor (tradução nossa)[702].

A existência de cenários emprestados, já mencionados anteriormente, ocorre quando a criança exterioriza-se com vocabulário e considerações que não condizem com sua faixa etária ou faz comentários sobre acontecimentos sobre as quais não tem nenhum conhecimento, por exemplo, quando o infante faz críticas de que o pai não era um bom marido para mãe[703].

A distribuição da raiva pela criança a familiares do genitor alienado é o último sintoma/consequência elencado por Richard A. Gardner. Tal consequência se sucede pelo fato do alienador, durante a prática da alienação parental, direcionar os ataques não só ao genitor, mas a toda sua família, de modo que a criança acabe desenvolvendo sentimento de aversão a toda família do alienado, assim como, avós, tios, primos ou nova namorada do genitor vítima da alienação[704].

Ademais, François Podevyn cita alguns dos resultados da SAP nas crianças:

---

702 GARDNER, Richard Alan. Legal And Psychotherapeutic Approaches To The Three Types Of Parental Alienation Syndrome Families. Disponível em: <https://www.fact.on.ca/Info/pas/gardnr01.htm>.

703 MADALENO, Ana Carolina Carpes. A Alienação Parental, suas consequências e a busca de soluções à luz das Constelações Familiares e do Direito Sistêmico. Disponível em: <http://carpesmadaleno.com.br/gerenciador/doc/ce3c93873e2f4ac433a5bdac5c8f5b7daaliena_C_eoparentalsuasconsequ_unciaseabuscadesolu_C_Ies_aluzdasconstela_C_Iesfamiliaresedodireitosist_umico.pdf>.

704 OLIVEIRA, Mário Henrique Castanho Prado de. op. cit., p. 128-129

> Os efeitos nas crianças vítimas da Síndrome de Alienação Parental podem ser uma depressão crônica, incapacidade de adaptação em ambiente psicossocial normal, transtornos de identidade e de imagem, desespero, sentimento incontrolável de culpa, sentimento de isolamento, comportamento hostil, falta de organização, dupla personalidade e às vezes suicídio[705].

Diante de todas as consequências analisadas no título em questão, pode-se inferir que o desfecho mais comum da alienação parental é a destruição dos vínculos afetivos entre genitor e prole, tendo em vista que esse é o principal objetivo do alienador[706], fazer com que a criança afaste-se do genitor considerado inimigo e substitua sentimentos de amor, afeto e carinho que nutri por este, por sentimentos de rejeição, ódio e raiva[707].

Nesse seguimento, dá-se origem ao menor "órfão de pai vivo", em que a criança é tomada por um sentimento de vazio, vez que não dispõe mais de um de seus pais como exemplo e modelos dos ensinamentos da vida[708].

A referida situação, consequentemente causa uma orfandade psicológica, que acompanhada de afeições cruéis[709], desencadeia os

---

705 PODEVYN, François. Síndrome de Alienação Parental. Tradução para Português: Apase – Associação de Pais e Mães Separados. Disponível em: <http://www.apase.org.br/94001-sindrome.htm>.

706 MADALENO, Ana Carolina Carpes. Síndrome da Alienação Parental: importância da detecção – aspectos legais e processuais, cit., p. 66

707 SOUZA, Juliana Rodrigues de. op. cit., p. 149

708 GONÇALVES, Carlos Roberto. op. cit., p. 259-261

709 SOUZA, Juliana Rodrigues de. op. cit., p. 151

efeitos devastadores e gravíssimos[710] analisados nesse título, que dependendo da intensidade da prática da alienação e da idade das crianças, podem gerar efeitos emocionais e comportamentais[711] que se não identificadas e tratadas com agilidade, podem ser irreversíveis[712].

Quantos as consequências emocionais, a criança atingida, normalmente, demonstra defeitos e dificuldades no seu desenvolvimento psicológico, sendo capaz de abalar sua autoestima[713], tornando-a uma pessoa ansiosa e nervosa[714]. Mencionadas individualidades psicológicas tendem a desencadear no menor patologias, como transtorno de identidade, depressão crônica etc.[715].

A alienação parental causa efeitos cruéis na área comportamental, já que o menor estará mais apto a agir de maneira antissocial, agressiva, criminosa[716] e com tendências psicopáticas, que, segundo Ana Carolina Carpes Madaleno e Rolf Madaleno, ditos modos comportamentais se originam diante do procedimento controlador do genitor alienante que, durante um período crucial da

---

710 PEREIRA, Rodrigo da Cunha. op. cit., p. 74
711 SOUZA, Juliana Rodrigues de. op. cit., p. 152
712 PEREIRA, Rodrigo da Cunha. op. cit., p. 74
713 MADALENO, Ana Carolina Carpes. Síndrome da Alienação Parental: importância da detecção – aspectos legais e processuais, cit., p. 66
714 SOUZA, Juliana Rodrigues de. op. cit., p. 153-154
715 MADALENO, Ana Carolina Carpes. Síndrome da Alienação Parental: importância da detecção – aspectos legais e processuais, cit., p. 66
716 DIAS, Maria Berenice. Manual de direito das famílias I, cit., p. 546

vida da criança, que é quando esta fortifica seu autoconceito, emprega-se de artimanhas e chantagens para alcançar seu objetivo[717].

Juliana Rodrigues de Souza disserta como uma das consequências mais preocupantes da alienação parental o fato do menor alienado ter propensão, quando adulto, a tornar-se um genitor alienante[718].

Ademais, a inclinação ao consumo de entorpecentes e alcoolismo são outras das consequências do exercício desmedido da alienação parental[719].

Assim como dito por François Podevyn, Maria Berenice Dias, Ana Carolina Carpes Madaleno e Rolf Madaleno discorrem que em casos agudos de alienação parental, no qual a criança se vê desesperada, depressiva e acometida pela culpa por rejeitar o genitor alienado, seguida da dependência de álcool e drogas, a criança e o adolescente podem chegar ao ato extremo de cometer suicídio[720].

## 3.6 ALIENAÇÃO PARENTAL NO ÂMBITO JUDICIAL

---

717 MADALENO, Ana Carolina Carpes. Síndrome da Alienação Parental: importância da detecção – aspectos legais e processuais, cit., p. 66

718 SOUZA, Juliana Rodrigues de. op. cit., p. 157

719 Ibid., p. 153

720 DIAS, Maria Berenice. Manual de direito das famílias I, cit., p. 546. MADALENO, Ana Carolina Carpes. Síndrome da Alienação Parental: importância da detecção – aspectos legais e processuais, cit., p. 66

Fato é que a alienação parental refere-se a uma forma de violência e abuso contra a criança e o adolescente[721] e, por óbvio, genitores e responsável alienantes estão sujeitos às consequências judiciais previstas na legislação nacional, principalmente pela Lei nº 12.318/2010 e o Estatuto da Criança e do Adolescente.

### 3.6.1 Desrespeito aos direitos fundamentais

Como discorrido nos títulos anteriores, o genitor ou responsável alienante ao macular e denegrir a imagem do outro pai tem como propósito implantar conceitos errôneos na cabeça da criança, com a finalidade de que esta, por vontade própria, rompa qualquer forma de contato com seu progenitor. Entretanto, o alienador, ao induzir a deterioração do convívio familiar, afronta direitos fundamentais inerentes à criança[722].

Inicialmente, Rodrigo César Rebello Pinho esclarece o que são direitos fundamentais:

> Direitos fundamentais são os considerados indispensáveis à pessoa humana, necessários para assegurar a todos uma existência digna, livre e igual. Não basta ao Estado reconhecer direitos

---

721 PEREIRA, Rodrigo da Cunha. op. cit., p. 74
722 SOUZA, Juliana Rodrigues de. op. cit., p. 127

> formalmente; deve buscar concretizá-los, incorporá-los no dia a dia dos cidadãos e de seus agentes[723].

Nesse sentido, em respeito à dignidade da pessoa humana, tendo em vista o objetivo de preservar o melhor interesse da criança e do adolescente, versa-se sobre o convívio familiar de um dos princípios constitucionais do direito de família e, consequentemente, um direito fundamental, o qual é previsto na Constituição Federal de 1988 em seu artigo 227[724]:

> Art. 227. É dever da família, da sociedade e do Estado assegurar à criança, ao adolescente e ao jovem, com absoluta prioridade, o direito à vida, à saúde, à alimentação, à educação, ao lazer, à profissionalização, à cultura, à dignidade, ao respeito, à liberdade e à convivência familiar e comunitária, além de colocá-los a salvo de toda forma de negligência, discriminação, exploração, violência, crueldade e opressão[725].

O direito ao convívio familiar também é assegurado pelo artigo 4º do Estatuto da Criança e do Adolescente (ECA):

> Art. 4º É dever da família, da comunidade, da sociedade em geral e do poder público assegurar, com absoluta prioridade, a efetivação dos direitos referentes à vida, à saúde, à alimentação, à educação,

---

723 PINHO, Rodrigo César Rebello. Teoria geral da constituição e direitos fundamentais / Rodrigo César Rebello Pinho. – 12. ed. – São Paulo: Saraiva, 2012. p. 201

724 MADALENO, Ana Carolina Carpes. Síndrome da Alienação Parental: importância da detecção – aspectos legais e processuais, cit., p. 121

725 BRASIL, Constituição (1988). Constituição da República Federativa do Brasil. Brasília, DF: Senado Federal, 1988. Disponível em: <http://www.planalto.gov.br/ccivil_03/constituicao/constituicaocompilado.htm>

> ao esporte, ao lazer, à profissionalização, à cultura, à dignidade, ao respeito, à liberdade e à convivência familiar e comunitária[726].

A convivência familiar, em efêmero relato, em virtude de que já foi amplamente discorrida nos capítulos anteriores, especialmente no título relacionado aos princípios constitucionais, se trata do envolvimento entre pares unidos por vínculo de parentesco ou afetivo, isto é, não se limitando ao núcleo dos pais e estendendo-se a toda a família, como avós, tios etc., nos quais, as pessoas que o compõem, sintam-se acolhidas e protegidas mutualmente[727].

Isto posto, tratando-se as crianças do elo mais frágil desta relação, considerando que estas tornam-se meros objetos em disputas judiciais pelos pais, o princípio da convivência familiar tem como finalidade evitar que isso ocorra, tonificando os elos familiares[728] e impossibilitando que o menor seja afastado de sua família[729], preservando-o no imo do relacionamento familiar[730].

Por óbvio, o convívio familiar resta prejudicado, porquanto que a campanha de desmoralização utilizada pelo alienador dificulta a

---

726 BRASIL. Lei n. 8.069, de 13 de julho de 1990. Dispõe sobre o Estatuto da Criança e do Adolescente e dá outras providências. Lex: Estatuto da Criança e do Adolescente. Disponível em: <http::/ /www.planalto.gov.br/ccivil_03/Leis/L8069.htm>.

727 LÔBO, Paulo. Direito civil: famílias / Paulo Lôbo. – 4. ed. – São Paulo: Saraiva, 2011. p. 74

728 DIAS, Maria Berenice. Manual de direito das famílias I, cit., p. 50

729 GAGLIANO, Pablo Stolze; FILHO, Rodolfo Pamplona. op. cit., p. 110

730 DIAS, Maria Berenice. Manual de direito das famílias I, cit., p. 50

manutenção e o fortalecimento dos vínculos afetivos entre a criança e o adolescente e seus genitores[731].

Nesse sentido, o genitor utiliza a guarda que detém de maneira abusiva, adotando uma postura totalmente equivocada em relação a sua prole e seu ex-cônjuge ou companheiro, visto que após o divórcio, os laços de afeto da criança com o genitor não guardião restam fragilizados, dado o afastamento físico, e, em vez de buscar a consolidação dos compromissos afetuosos entre estes, o pai, empregando-se da alienação parental, faz o possível para romper esses vínculos e fazer com que a criança rejeite o outro genitor, configurando assim, clara violação aos direitos fundamentais do menor, previstos na Constituição Federal e no ECA[732].

Conforme supra demonstrado, a alienação por si só já é uma afronta ao direito fundamental ao convívio familiar, porém, a Lei nº 12.318/2010, chamada Lei da Alienação Parental, precisa tal afronta em seu artigo 3º:

> Art. 3º. A prática de ato de alienação parental fere direito fundamental da criança ou do adolescente de convivência familiar saudável, prejudica a realização de afeto nas relações com genitor e com o grupo familiar, constitui abuso moral contra a criança ou o adolescente e descumprimento dos deveres inerentes

---

731 MADALENO, Ana Carolina Carpes. Síndrome da Alienação Parental: importância da detecção – aspectos legais e processuais, cit., p. 122

732 Ibid., p. 122

> à autoridade parental ou decorrentes de tutela ou guarda[733].

Fato é que responsáveis ou genitores alienantes esquecem ou simplesmente ignoram que o convívio familiar é primordial para o desenvolvimento da criança e do adolescente e que, ao praticar a alienação com o intuito de enredar ou esquivar a comunicação entre prole e genitor alienado[734], além de desrespeitarem direitos fundamentais com previsão constitucional, violam princípios morais e éticos que devem servir de base para o relacionamento entre os pais e seus filhos[735].

Assim, ignorados direitos fundamentais em razão da alienação parental, caberá à propositura de ação de modo autônomo ou incidental, ou melhor, quando há indicações da referida prática em processos já em trâmite, sendo o local de domicílio dos pais o foro competente para julgar a demanda, não havendo prejuízo nas hipóteses de modificação de domicílio da criança, de acordo com o que estabelece a Lei nº 12.318/2010 em seu artigo 8º[736].

### 3.6.2 Tramitação prioritária e medidas provisórias

733 BRASIL. Lei n. 12.318, de 26 de agosto de 2010. Dispõe sobre a alienação parental e altera o art. 236 da Lei no 8.069, de 13 de julho de 1990. Disponível em: < http://www.planalto.gov.br/ccivil_03/_ato2007-2010/2010/lei/l12318.htm>.

734 SOUZA, Juliana Rodrigues de. op. cit., p. 127

735 NADER, Paulo. op. cit., p. 401

736 DIAS, Maria Berenice. Manual de direito das famílias I, cit., p. 548

Dado o caráter significativo da prática de alienação, tendo em vista que está viola os direitos fundamentais da criança e do adolescente, a Lei nº 12.318/2010, em seu artigo 4º, assegurou a tramitação prioritária aos processos que demonstrem indícios do ato de alienação parental:

> Art. 4º Declarado indício de ato de alienação parental, a requerimento ou de ofício, em qualquer momento processual, em ação autônoma ou incidentalmente, o processo terá tramitação prioritária, e o juiz determinará, com urgência, ouvido o Ministério Público, as medidas provisórias necessárias para preservação da integridade psicológica da criança ou do adolescente, inclusive para assegurar sua convivência com genitor ou viabilizar a efetiva reaproximação entre ambos, se for o caso[737].

A alienação parental pode ser alegada a qualquer tempo durante o desenrolar do processo, seja por requerimento das partes envolvidas na ação, por requerimento do Ministério Público, ou mesmo de ofício pelo juiz, e, uma vez que isso ocorra, passará o processo a ter prioridade em sua tramitação, isto é, a ação receberá um código especial e, a partir deste momento, seus expedientes transcorrerão de maneira mais rápida[738]. Desse jeito, fica claro que, mesmo em processos já em andamento ou em ações em que a

---

[737] BRASIL. Lei n. 12.318, de 26 de agosto de 2010. Dispõe sobre a alienação parental e altera o art. 236 da Lei no 8.069, de 13 de julho de 1990. Disponível em: < http://www.planalto.gov.br/ccivil_03/_ato2007-2010/2010/lei/l12318.htm>.

[738] SILVA, Denise Maria Perissini da. Guarda compartilhada e síndrome da alienação parental: o que é isso?, cit. p. 91-92

demanda não aborda a alienação parental, tais como ações de divórcio, o juiz e o Ministério Público, ao constatarem sinais de alienação parental, devem denunciar os mencionados atos e providenciar a tramitação prioritária de suas respectivas ações[739].

Logo, a intenção do legislador ao dar prioridade às ações com confluência de alienação parental é proteger a criança exposta a tal situação, em virtude de que, como visto nos títulos anteriores, quanto maior o período em que o menor ficar desprotegido aos atos de alienação parental, superiores são as chances de este desenvolver dificuldades psicossociais[740].

Nesse sentido, Denise Maria Perissini da Silva coloca que trata-se o tempo de uma das maiores vantagens que o genitor ou responsável alienante possui, isto é, quanto mais lento for o processo judicial, mais prazo terá o alienador para desmoralizar o genitor alienado, introduzir memórias falsas na criança e, como resultado, afastar genitor e prole[741].

Outro motivo para a tramitação prioritária decorre do fato de quanto mais ágil os peritos judiciais indicados pelo juiz identificarem e comprovarem a incidência de alienação parental[742], mais célere e

[739] MADALENO, Ana Carolina Carpes. Síndrome da Alienação Parental: importância da detecção – aspectos legais e processuais, cit., p. 127

[740] NADER, Paulo. op. cit., p. 402

[741] SILVA, Denise Maria Perissini da. Guarda compartilhada e síndrome da alienação parental: o que é isso?, cit. p. 92

[742] Ibid., p. 92

eficientes serão as medidas tomadas pelo judiciário para proteger o infante e penalizar os alienadores[743].

Além da tramitação prioritária, o artigo 4º prevê que o Juiz, depois de ouvido o Ministério Público, deverá adotar medidas provisórias, tantas quais acreditar serem necessárias, com a vontade de que o menor tenha sua integridade física e emocional preservada[744].

As referidas medidas provisórias visam salvaguardar o menor da alienação parental exercida pelo alienado e conservar o convívio da criança com genitor alienado[745]. Nessa premissa, o parágrafo único do artigo 4º da Lei nº 12.318/2010 aponta as formas de medida provisória que podem ser utilizadas pelo magistrado *in casu*:

> Parágrafo único. Assegurar-se-á à criança ou adolescente e ao genitor garantia mínima de visitação assistida, ressalvados os casos em que há iminente risco de prejuízo à integridade física ou psicológica da criança ou do adolescente, atestado por profissional eventualmente designado pelo juiz para acompanhamento das visitas[746].

As referidas visitas assistidas ocorrem na presença de terceiros da confiança do genitor detentor da guarda designados para

---

743 NADER, Paulo. op. cit., p. 402

744 VENOSA, Sílvio de Salvo. Direito civil: direito de família / Sílvio de Salvo Venosa. - 11 ed. - São Paulo: Atlas, 2011. p. 320

745 MADALENO, Ana Carolina Carpes. Síndrome da Alienação Parental: importância da detecção – aspectos legais e processuais, cit., p. 127-128

746 BRASIL. Lei n. 12.318, de 26 de agosto de 2010. Dispõe sobre a alienação parental e altera o art. 236 da Lei no 8.069, de 13 de julho de 1990. Disponível em: < http://www.planalto.gov.br/ccivil_03/_ato2007-2010/2010/lei/l12318.htm>.

conduzir o menor durante a visitação. Também podem ocorrer no fórum ou no conselho tutelar. Entretanto, tais locais, obviamente, não se mostram adequados para socialização entre o genitor e a criança alienada[747].

Além do mais, nos casos de demanda com tramitação prioritária e das medidas previstas no parágrafo único supra citado, o direito ao contraditório e a ampla defesa, previstos pelo artigo 5º, inciso LV da Constituição Federal de 1988[748], restam garantidos, vez que tais medidas, fora serem empregadas com o objetivo de defender a criança e o adolescente em risco[749], possuem também a finalidade de preservação das provas, conforme afirmam Pablo Stolze Gagliano e Rodolfo Pamplona Filho:

> o que se tem em mira é, em primeiro plano, a perspectiva de defesa da própria criança ou adolescente, vítima indefesa dessa grave forma de programação mental, em um contexto familiar que, em geral, dificulta sobremaneira a reconstrução fática da prova em juízo[750].

Cabe o destaque que, para que o juízo de efetividade aos termos previstos no artigo 4º, bem como em seu parágrafo único, vê-

747 DIAS, Maria Berenice. Alienação parental e suas consequências. Disponível em: <http://www.mariaberenice.com.br/manager/arq/(cod2_500)alienacao_parental_e_suas_consequencias.pdf>.

748 BRASIL, Constituição (1988). Constituição da República Federativa do Brasil. Brasília, DF: Senado Federal, 1988. Disponível em: <http://www.planalto.gov.br/ccivil_03/constituicao/constituicaocompilado.htm>

749 MADALENO, Ana Carolina Carpes. Síndrome da Alienação Parental: importância da detecção – aspectos legais e processuais, cit., p. 128

750 GAGLIANO, Pablo Stolze; FILHO, Rodolfo Pamplona. op. cit., p. 535

se necessária à apresentação por uma equipe interdisciplinar ou especialista habilitado de uma avaliação prévia a respeito de fatos que abrangem o processo[751].

Fato é que, desde que respeitadas às devidas providências legais, é essencial que o processo de alienação parental, seja de maneira autônoma ou incidental, suceda de maneira rápida, sendo que a referida prática perversa detectada em seu estágio inicial elevam-se as possibilidades de os danos produzidos serem minimizados ou até mesmo descartados[752].

### 3.6.3 Formas de prova

Demonstrado no processo indícios do desempenho da alienação parental, determina a Lei 12.318/2010, em seu artigo 5º, que, se julgar necessário, o magistrado deverá requerer a realização de perícia psicológica e biopsicossocial:

> Art. 5º. Havendo indício da prática de ato de alienação parental, em ação autônoma ou incidental, o juiz, se necessário, determinará perícia psicológica ou biopsicossocial.

---

751 PEREIRA, Caio Mário da Silva. op. cit., p. 359

752 MADALENO, Ana Carolina Carpes. Síndrome da Alienação Parental: importância da detecção – aspectos legais e processuais, cit., p. 132

> § 1º O laudo pericial terá base em ampla avaliação psicológica ou biopsicossocial, conforme o caso, compreendendo, inclusive, entrevista pessoal com as partes, exame de documentos dos autos, histórico do relacionamento do casal e da separação, cronologia de incidentes, avaliação da personalidade dos envolvidos e exame da forma como a criança ou adolescente se manifesta acerca de eventual acusação contra genitor.
>
> § 2º A perícia será realizada por profissional ou equipe multidisciplinar habilitados, exigido, em qualquer caso, aptidão comprovada por histórico profissional ou acadêmico para diagnosticar atos de alienação parental.
>
> § 3º O perito ou equipe multidisciplinar designada para verificar a ocorrência de alienação parental terá prazo de 90 (noventa) dias para apresentação do laudo, prorrogável exclusivamente por autorização judicial baseada em justificativa circunstanciada[753].

Inicialmente, cabe a ressalva que em processos em que há traços do desempenho da alienação parental, pode o juiz intervir imediatamente, através de medidas cautelares e, assim, dispensando provisoriamente a perícia[754]. Nos demais casos, vê-se primordial a avaliação psicológica.

Outrossim, a perícia psicológica ou biopsicossocial pode ser requisitada, conforme o próprio *caput* do artigo frisado, em qualquer

---

753 BRASIL. Lei n. 12.318, de 26 de agosto de 2010. Dispõe sobre a alienação parental e altera o art. 236 da Lei no 8.069, de 13 de julho de 1990. Disponível em: < http://www.planalto.gov.br/ccivil_03/_ato2007-2010/2010/lei/l12318.htm>.

754 PEREIRA, Caio Mário da Silva. op. cit., p. 359

ação em que ocorra denúncia da realização de alienação parental, independentemente de se tratar de ação incidental ou ordinária autônoma[755].

Denise Maria Perissini da Silva define tais perícias, a qual denomina como psicodiagnóstico, como o procedimento científico que tem como fim compreender e relatar as características da personalidade de determinado indivíduo. A doutrinadora afirma ainda que para obter tais características o profissional habilitado emprega instrumentos de avaliação, testes e técnicas psicológicas constituídas pelo Conselho Federal de Psicologia (CFP), por meio da resolução nº 02/2003 e do artigo 3º da resolução nº 08/2010[756].

De fato, em muito dos casos em que estão envolvidas denúncias de alienação parental, o magistrado não detém a capacidade técnica e científica necessária para avaliar as referidas situações, principalmente em casos em que a criança ou adolescente encontra-se no estágio grave da alienação[757]. Posto isso, escorando-se no artigo 156 do Código de Processo Civil, o juiz deve nomear perito para assisti-lo nessas ações e, dada a complexidade do tema, poderá nomear mais de um profissional, tal como psicólogos, médicos, peritos sociais e médicos psiquiátricos[758].

---

755 MADALENO, Rolf. op. cit., p. 467

756 SILVA, Denise Maria Perissini da. Guarda compartilhada e síndrome da alienação parental: o que é isso?, cit. p. 98

757 MADALENO, Ana Carolina Carpes. Síndrome da Alienação Parental: importância da detecção – aspectos legais e processuais, cit., p. 134

758 MADALENO, Ana Carolina Carpes. Síndrome da Alienação Parental: importância da detecção – aspectos legais e processuais, cit., p. 136

Desse modo, fica claro que o laudo pericial tem apenas a função de auxiliar o juiz na sua tomada de decisão, podendo este utilizar-se de demais elementos processuais, tanto quanto documentos e depoimentos pessoais, para construir seu convencimento. Assim, não está o juiz limitado a avaliação psicológica para decidir-se[759].

Deste jeito, a perícia judicial tem a responsabilidade de traçar os perfis de personalidade dos indivíduos envolvidos no processo, bem como avaliar o comportamento destes, seus interesses, sua conduta, suas condições emocionais e sua maturidade[760]. Para tanto, ao elaborar seu laudo pericial, pode o profissional indicado pelo juiz, disposto a conceber a linha cronológica dos fatos e, assim, estabelecer se há indicativos da prática de alienação parental, analisar os documentos juntados aos autos e realizar entrevistas com o casal e com a prole, analisando como estes reagem a determinadas situações e estímulos[761].

Conforme estabelece o §2º do artigo 5º da Lei da Alienação Parental, é primordial que o perito ou a equipe avaliadora sejam profissionais capacitados e habilitados (LEI AP). Destarte, vê-se

---

759 Ibid., p. 136

760 SILVA, Denise Maria Perissini da. Guarda compartilhada e síndrome da alienação parental: o que é isso?, cit. p. 98

761 Ibid., p. 98. BRASIL. Lei n. 12.318, de 26 de agosto de 2010. Dispõe sobre a alienação parental e altera o art. 236 da Lei no 8.069, de 13 de julho de 1990. Disponível em: < http://www.planalto.gov.br/ccivil_03/_ato2007-2010/2010/lei/l12318.htm>.

imprescindível que a equipe multidisciplinar seja composta por profissionais com carreiras acadêmicas e profissionais consolidadas[762].

Além disso, o profissional designado para a avaliação psicológica, além de ter vasto conhecimento sobre família e infância, deverá comprovar farto conhecimento no que tange a alienação parental. Esta experiência demonstra-se indispensável uma vez que, por se tratar a alienação de um abuso emocional, é crucial que o perito desfrute de capacidades de observação e ponderação, a fim de que identifique possíveis indícios de manipulação psicológica, mesmo que sutis; reconheça qual é o melhor local e qual o genitor mais indicado para propiciar à criança um desenvolvimento físico e emocional saudável, e; detecte interferências parentais que acarretem na criança reações psicossomáticas falsas[763].

A incapacidade técnica do perito nomeado é inadmissível, visto que o laudo pericial apresentado ao magistrado deverá detalhado e fundamentado[764], não sendo reconhecidas conclusões baseadas nos chamados "achismos", ou seja, em perícias psicológicas ou biopsicossociais o profissional não pode compor seu laudo fundamentado em impressões meramente superficiais ou em apenas em reações da criança, tais como o choro, em virtude de que

---

762 MADALENO, Ana Carolina Carpes. Síndrome da Alienação Parental: importância da detecção – aspectos legais e processuais, cit., p. 138

763 SILVA, Denise Maria Perissini da. Guarda compartilhada e síndrome da alienação parental: o que é isso?, cit. p. 99

764 MADALENO, Ana Carolina Carpes. Síndrome da Alienação Parental: importância da detecção – aspectos legais e processuais, cit., p. 138

determinado ato emocional pode ser provocada por diversos motivos[765].

Em conclusão, considerando que o tempo é um dos maiores aliados do genitor ou responsável alienante, o artigo 5º em seu §3º determinou que o profissional habilitado ou a equipe multidisciplinar terão o prazo de 90 dias para apresentação do laudo pericial, que poderá ser prorrogado somente mediante autorização judicial[766].

### 3.6.3.1 Dificuldade na produção de provas

A limitada quantidade de peritos capacitados para diagnosticarem indícios de alienação sem que haja prejuízo de seu laudo[767], além do fato que, por ser tratar de prática comportamental que atinge o psicológico e o emocional da criança, trata-se a prova pericial essencial para o decorrer da ação, muito dos processos em que envolvem denúncias de alienação parental acabam sendo inconclusivos, devido à dificuldade na produção das provas[768].

---

[765] SILVA, Denise Maria Perissini da. Guarda compartilhada e síndrome da alienação parental: o que é isso?, cit. p. 99

[766] BRASIL. Lei n. 12.318, de 26 de agosto de 2010. Dispõe sobre a alienação parental e altera o art. 236 da Lei no 8.069, de 13 de julho de 1990. Disponível em: < http://www.planalto.gov.br/ccivil_03/_ato2007-2010/2010/lei/l12318.htm>.

[767] MADALENO, Ana Carolina Carpes. Síndrome da Alienação Parental: importância da detecção – aspectos legais e processuais, cit., p. 138

[768] DIAS, Maria Berenice. Manual de direito das famílias I, cit., p. 547

Maria Berenice Dias coloca que mesmo após a criança passar pelo angustiante processo de avaliação psicológica, que envolvem entrevistas e testes, e que podem perdurar durante anos, a alienação parental é de árdua caracterização[769].

A doutrinadora discorre que a referida dificuldade demanda do fato que em casos de alienação parental em estágio leve ou médio, como já visto, o exercício do referido ato ocorre de maneira sutil, o que inibe a identificação do que é aliciamento e do que é real[770], sendo que nessas hipóteses, até mesmo psicólogos com experiência no assunto tem problemas em discernir vingança implantada pelo pai alienante de sentimentos verdadeiros[771].

Outra dificuldade encontrada na identificação da alienação parental na avaliação psicológica, segundo Ana Carolina Carpes Madaleno se dá pelo fato do profissional avaliador confundir alienação parental com a Síndrome da Alienação Parental e empregar-se dos aspectos desta como base para sua avaliação e, dessa forma, as crianças que não estão no estágio grave da alienação parental, dificilmente terão a alienação parental diagnosticada[772].

---

769 Ibid., p. 547

770 DIAS, Maria Berenice. Alienação parental e a perda do poder familiar. Disponível em: <http://www.mariaberenice.com.br/manager/arq/(cod2_502)3__alienacao_parental_e_a_perda_do_poder_familiar.pdf>.

771 DIAS, Maria Berenice. Manual de direito das famílias I, cit., p. 547

772 MADALENO, Ana Carolina Carpes. A Alienação Parental, suas consequências e a busca de soluções à luz das Constelações Familiares e do Direito Sistêmico. Disponível em: <http://carpesmadaleno.com.br/gerenciador/doc/ce3c93873e2f4ac433a5bdac5c8

Ademais, conclui a doutrinadora que a complexidade na elaboração da prova pericial decorre da não existência de padrões ou termos psicológicos e jurídicos que propiciem a identificação do exercício da alienação parental[773].

### 3.6.4 Sanções para os genitores ou responsáveis alienantes

Além de uma forma de abuso e violência contra crianças e adolescentes[774], refere-se a alienação parental de uma afronta direta aos direitos fundamentais garantidos ao menor pelo Estatuto da Criança e do Adolescente e pela Constituição Federal. Desta forma, identificadas mostras desse desempenho nefasto, sanções e responsabilizações deverão ser efetuadas ao genitor ou responsável alienante.

Nesse sentido, a Lei da Alienação Parental antevê que o juiz ao deparar-se com a citada prática e, diante de laudos periciais que atestem tal ação[775], poderá aplicar sanções judiciais eficientes a abrandar as consequências da alienação parental, de acordo com o disposto no artigo 6º:

---

f5b7daaliena_C_eoparentalsuasconsequ_unciaseabuscadesolu_C_Ies_aluzdasconst ela_C_Iesfamiliaresedodireitosist_umico.pdf>.

773 Ibid.

774 PEREIRA, Rodrigo da Cunha. op. cit., p. 72

775 MADALENO, Ana Carolina Carpes. Síndrome da Alienação Parental: importância da detecção – aspectos legais e processuais, cit., p. 144

Art. 6º. Caracterizados atos típicos de alienação parental ou qualquer conduta que dificulte a convivência de criança ou adolescente com genitor, em ação autônoma ou incidental, o juiz poderá, cumulativamente ou não, sem prejuízo da decorrente responsabilidade civil ou criminal e da ampla utilização de instrumentos processuais aptos a inibir ou atenuar seus efeitos, segundo a gravidade do caso:

I - declarar a ocorrência de alienação parental e advertir o alienador;

II - ampliar o regime de convivência familiar em favor do genitor alienado;

III - estipular multa ao alienador;

IV - determinar acompanhamento psicológico e/ou biopsicossocial;

V - determinar a alteração da guarda para guarda compartilhada ou sua inversão;

VI - determinar a fixação cautelar do domicílio da criança ou adolescente;

VII - declarar a suspensão da autoridade parental.

Parágrafo único. Caracterizado mudança abusiva de endereço, inviabilização ou obstrução à convivência familiar, o juiz também poderá inverter a obrigação de levar para ou retirar a criança ou adolescente da

> residência do genitor, por ocasião das alternâncias dos períodos de convivência familiar[776].

O afastamento de prole e genitor alienado pode perdurar por anos em decorrência da alienação parental, visto que o genitor alienante, aproveitando-se do fato de deter a guarda unilateral do menor, utiliza-se desta para implantar falsas memórias e sentimentos de repulsa na criança, causando o afastamento físico e emocional da referida com seu próprio pai ou mãe. Nessa continuidade, Denise Maria Perissini da Silva acentua que o quadro previsto no artigo 6º não se trata de formas de punir o alienador, mas sim uma maneira de tentar minorar os males causados pela alienação e buscar a reaproximação do progenitor e cria afastados e, assim, reconstruir seus vínculos afetivos[777].

A autora também coloca que o referido artigo rompe máximas presentes na sociedade, bem como de que ninguém pode tirar a guarda de uma mãe, e, de modo que tem como finalidade demonstrar que atos graves como alienação, que somente trazem dor e sofrimento, não restarão impunes[778].

Então, dado o grau de afetação da alienação parental, bem como seus reflexos no infante, terá de o juiz ponderar sobre qual ato judicial tomar em cada caso específico.

---

776 BRASIL. Lei n. 12.318, de 26 de agosto de 2010. Dispõe sobre a alienação parental e altera o art. 236 da Lei no 8.069, de 13 de julho de 1990. Disponível em: < http://www.planalto.gov.br/ccivil_03/_ato2007-2010/2010/lei/l12318.htm>.

777 SILVA, Denise Maria Perissini da. Guarda compartilhada e síndrome da alienação parental: o que é isso?, cit. p. 135

778 Ibid., p. 135

Ainda, acentua-se que as atitudes dispostas no apontado artigo não possuem caráter taxativo, sendo capaz outras medidas judiciais serem empregadas, mesmo que não arroladas de modo expresso na Lei nº 12.318/2010[779]. Assim, por se tratar de rol apenas exemplificativo, cada sanção deve ser aplicada conforme o estágio de afetação da alienação[780], competindo uma sucinta explicação dos atos e sanções previstas no artigo 6º da Lei da Alienação Parental.

O inciso I do artigo 6º prevê a aplicação de advertência ao genitor ou responsável alienante, a qual poderá ser aplicada de maneira verbal pelo magistrado[781].

Em muito dos casos, a aplicação da advertência ao genitor alienante já assevera-se razoável para interromper a prática da alienação parental[782], porquanto esta deve demonstrar que se persistido os atos de alienação parental, o alienador estará sujeito a implicação de sanções mais brandas, que poderão variar da limitação nas visitas até mesmo a inversão da guarda[783].

Outrossim, a referida advertência representa o esforço de inibir a alienação através da conscientização do alienador de que suas

---

779 MADALENO, Ana Carolina Carpes. Síndrome da Alienação Parental: importância da detecção – aspectos legais e processuais, cit., p. 141

780 Ibid., p. 142-145

781 FERREIRA, Cleonice; FERNANDES, Rogerio Mendes. Síndrome da Alienação Parental: sanções cíveis aplicáveis ao alienador. Disponível em: <http://www.atenas.edu.br/Faculdade/arquivos/NucleoIniciacaoCiencia/REVISTAJURI2012/7%20S%C3%8DNDROME%20DA%20ALIENA%C3%87%C3%83O%20PARENTAL%20san%C3%A7%C3%B5es%20c%C3%ADveis.PDF>.

782 RAMOS, Patricia Pimentel de Oliveira Chambers. op. cit., p. 108

783 MADALENO, Ana Carolina Carpes. Síndrome da Alienação Parental: importância da detecção – aspectos legais e processuais, cit., p. 144-145

atitudes, além de acarretarem o rompimento de laços afetivos, que por si só já trazem enorme prejuízo ao menor, dado os laços familiares são de extrema importância para o desenvolvimento da pessoa, principalmente durante sua infância, podem provocar a evolução de distúrbios psicológicos, patologias e síndromes que afetarão seu desenvolvimento, mesmo quando esse atingir a vida adulta[784].

Desse modo, pode-se inferir que a advertência possui caráter pedagógico, com o objetivo de que o genitor ou responsável obcecado pelo desejo de vingança advindo da separação compreenda seus atos e retome de maneira responsável o exercício de seu dever parental[785].

O Inciso II do artigo 6º da Lei nº 12.318/2010 visa atenuar os efeitos da alienação parental na criança através da ampliação da convivência familiar.

A ampliação do convívio familiar tem como intuito reestabelecer a convivência entre pai e filho, de modo que o genitor tenha mais participação na vida da criança e, dessa maneira, possa

---

[784] Ibid., p. 144-145

[785] FERREIRA, Cleonice; FERNANDES, Rogerio Mendes. Síndrome da Alienação Parental: sanções cíveis aplicáveis ao alienador. Disponível em: <http://www.atenas.edu.br/Faculdade/arquivos/NucleoIniciacaoCiencia/REVISTAJURI2012/7%20S%C3%8DNDROME%20DA%20ALIENA%C3%87%C3%83O%20PARENTAL%20san%C3%A7%C3%B5es%20c%C3%ADveis.PDF> apud CURY, Munir; SILVA, Antonio Fernando do Amaral e; MENDEZ, Emílio García (Coord.). COSTA, Antonio Carlos Gomes da, et al. (Org.). Estatuto da Criança e do Adolescente Comentado. 11. Ed. São Paulo, Malheiros Editores, 2010.

contribuir para seu desenvolvimento de maneira saudável, ao mesmo tempo em que dificulte o exercício da alienação pelo outro genitor[786].

A multa pecuniária prevista no inciso III do artigo da Lei da Alienação Parental em análise possui natureza coercitiva, vez que obriga o genitor alienante a permitir e facilitar o contato da criança com o genitor alienado, de modo que estará sujeito ao pagamento de quantias monetárias caso venha a descumprir tais determinações[787].

Tal medida apresenta-se profusa efetiva, vez que grande parte dos conflitos presentes no judiciário decorre de meras disputas individualistas entre casais em decurso de separação, que utilizam-se de todos os meios possíveis para tentar magoar e lacerar o ex-cônjuge e completam manipulando o próprio filho como instrumento de ataque e vingança[788].

Quanto o montante da multa à ser aplicada, Ana Carolina Carpes Madaleno e Rolf Madaleno discorrem sobre quantia:

> O valor da multa deve ter um peso coercitivo suficiente para promover seu imediato poder dissuasório, consistente em um efeito psicológico capaz de ensejar o seu cumprimento, ponderando o magistrado para o montante de sua fixação a gravidade do descumprimento cometido e sua

---

786 CORREIA, Eveline de Castro. Análise dos meios punitivos da nova lei de alienação parental. Disponível em: <http://www.egov.ufsc.br/portal/conteudo/an%C3%A1lise-dos-meios-punitivos-da-nova-lei-de-aliena%C3%A7%C3%A3o-parental>.

787 MADALENO, Ana Carolina Carpes. Síndrome da Alienação Parental: importância da detecção – aspectos legais e processuais, cit., p. 146

788 Ibid., p. 146

> duração, além da capacidade econômica do progenitor descumpridor[789].

Nesse aspecto, Ana Carolina Carpes Madaleno coloca que a eficácia da multa somente se dá quando esta é realmente executada. Para exemplificar tal argumentação, a autora relata que em determinado processo judicial as visitas não ocorriam sob a alegação de que o infante enjeitava qualquer forma de convívio com o genitor. Entretanto, ao ser executada a multa prevista no inciso III, que montava o valor aproximado de 30 mil reais, a criança prontamente se dispôs a ir à visitação. Igualmente, restou claro que a recusa da criança se dava em decorrência da alienação parental exercida por sua genitora, ora alienante[790].

Além disto, as multas pecuniárias também restam previstas no artigo 213 do Estatuto da Criança e do Adolescente, o qual determina que o pai ou responsável estarão sujeitos ao pagamento de multa em casos de descumprimento de obrigação de fazer ou não fazer, sendo o valor arrecadado destinado à fundo gerido por Conselho dos Direitos da Criança e do Adolescente do município em que o

---

789 Ibid., p. 146

790 MADALENO, Ana Carolina Carpes. A Alienação Parental, suas consequências e a busca de soluções à luz das Constelações Familiares e do Direito Sistêmico. Disponível em: <http://carpesmadaleno.com.br/gerenciador/doc/ce3c93873e2f4ac433a5bdac5c8f5b7daaliena_C_eoparentalsuasconsequ_unciaseabuscadesolu_C_Ies_aluzdasconstela_C_Iesfamiliaresedodireitosist_umico.pdf>.

processo tramita, conforme estipula o artigo 214 do mesmo diploma legal[791].

Em contrapartida, Pablo Stolze Gagliano e Rodolfo Pamplona Filho fazem duras críticas à política de aplicação de pecúnia nessas situações, vez que sustentam que o as medidas elencadas no artigo 6º têm caráter educacional, sendo que a vontade do genitor estar com seu filho e vice e versa, é essencial, não se referindo unicamente a uma simples obrigação de fazer, dessa maneira, em casos de descumprimento de visita, a aplicação de multa não produz consequências instrutivas, mas sim mera oneração ao alienador[792].

O inciso IV estabelece o acompanhamento psicológico e/ou biopsicossocial.

Considerando que o exercício da alienação parental afeta diretamente o psicológico das partes envolvidas, a determinação de acompanhamento biopsicossocial vê-se coerente, dessa maneira, o responsável ou progenitor alienante será submetido a tratamento

---

791 BRASIL. Lei n. 8.069, de 13 de julho de 1990. Dispõe sobre o Estatuto da Criança e do Adolescente e dá outras providências. Lex: Estatuto da Criança e do Adolescente. Disponível em: <http::/ /www.planalto.gov.br/ ccivil_03/Leis/L8069.htm>

792 GAGLIANO, Pablo Stolze; FILHO, Rodolfo Pamplona. op. cit., p. 536

terapêutico compulsório sob supervisão judicial[793], com a finalidade de conscientizá-lo da gravidade de suas atitudes[794].

Entretanto, o acompanhamento psicológico referido no inciso não se limita ao genitor alienante, sendo capza o magistrado requerer o tratamento terapêutico da criança e do adolescente alienado, com o objetivo de atenuar das consequências da alienação[795]. O genitor alienado também poderá ser sujeitado a realizar terapia, com a intenção de suavizar as divergências existentes entre o casal[796].

Nas hipóteses de terapia coercitiva, o genitor estará sujeito ao pagamento de multa pecuniária em caso de descumprimento da ordem judicial[797].

O inciso V prediz que a guarda anteriormente estipulada poderá ser revertida ou modificada para guarda compartilhada nos casos em que há evidente prática de alienação parental. Tendo em vista que trata-se de uma das medidas previstas que produz reflexos

---

793 MADALENO, Ana Carolina Carpes. Síndrome da Alienação Parental: importância da detecção – aspectos legais e processuais, cit., p. 144

794 FERREIRA, Cleonice; FERNANDES, Rogerio Mendes. Síndrome da Alienação Parental: sanções cíveis aplicáveis ao alienador. Disponível em: <http://www.atenas.edu.br/Faculdade/arquivos/NucleoIniciacaoCiencia/REVISTAJURI2012/7%20S%C3%8DNDROME%20DA%20ALIENA%C3%87%C3%83O%20PARENTAL%20san%C3%A7%C3%B5es%20c%C3%ADveis.PDF>.

795 FERREIRA, Cleonice; FERNANDES, Rogerio Mendes. Síndrome da Alienação Parental: sanções cíveis aplicáveis ao alienador. Disponível em: <http://www.atenas.edu.br/Faculdade/arquivos/NucleoIniciacaoCiencia/REVISTAJURI2012/7%20S%C3%8DNDROME%20DA%20ALIENA%C3%87%C3%83O%20PARENTAL%20san%C3%A7%C3%B5es%20c%C3%ADveis.PDF>.

796 MADALENO, Ana Carolina Carpes. Síndrome da Alienação Parental: importância da detecção – aspectos legais e processuais, cit., p. 147

797 Ibid., p. 146

mais severos, esta deve ser aplicada apenas em casos em que a alienação parental manifesta-se em estágios mais graves[798].

Elízio Luiz Perez discorre que a intenção do legislador ao elaborar o referido inciso foi a de buscar a amenização das consequências da alienação parental na criança, através da reinserção do genitor vítima da alienação na vida desta, de modo que este demonstre seus reais sentimentos perante o menor e, consequentemente, desfaça a imagem deturpada criada e implantada pelo progenitor ou responsável alienante[799].

Nesse sentido, Ana Carolina Carpes Madaleno e Rolf Madaleno declaram que a modificação da guarda ou sua inversão engendram no infante um descanso dos constantes atos de alienação parental os quais vem sofrendo por longo período. Ademais, os autores destacam que durante o período de inversão é essencial que a criança e o adolescente não tenham nenhum contato com o alienador, também sendo aconselhável o acompanhamento terapêutico por profissional indicado pelo judiciário, para que este avalie os efeitos do afastamento no menor[800].

Existindo a ocorrência de atos de alienação parental ou mesmo a exposição de sintomas e comportamentos característicos

---

[798] Ibid., p. 147

[799] PEREIRA, Caio Mário da Silva. op. cit., p. 360 apud Elizio Luiz Perez, "Breves comentários acerca da Lei de Alienação Parental", in Incesto e alienação parental: realidades que a Justiça insiste em não ver (coord.: Maria Berenice Dias), São Paulo: RT/IBDFAM, 2010, p. 77

[800] MADALENO, Ana Carolina Carpes. Síndrome da Alienação Parental: importância da detecção – aspectos legais e processuais, cit., p. 147

resultantes da ação incessante da referida na criança ou no adolescente, o magistrado, prezando sempre pelo melhor interesse da criança, poderá ordenar que o regime atual de guarda seja substituído para a guarda compartilhada, que é o regime mais aconselhável para amenização e prevenção da alienação[801].

Assim como na hipótese do inciso supra explorado, por também se tratar de providência radical, o juiz deverá decidir pela suspensão do poder familiar do genitor ou responsável alienante, que é previsto no artigo VII do artigo 6º, tão somente em casos severos de alienação parental, em que o menor demonstra ódio incontrolável pelo genitor vítima, isto é, quando o infante já foi totalmente afetada pelas ideias do progenitor com afeições de vingança[802].

Como os demais atos previstos no artigo 6º, o inciso agora em análise tem o intuito de proteger o menor, conforme anunciam Ana Carolina Carpes Madaleno e Rolf Madaleno: "a suspensão do contato com o alienador têm o propósito de proteger a criança ou adolescente para que não fique exposto por meio de processo judicial, agravando, dessa forma, a patologia da alienação[803]".

A suspensão do poder familiar se dá nos casos em que a alienação parental encontra-se em estágio protuberante, em que a criança apresenta os transtornos psicológicos vistos em títulos anteriores, tal como a Síndrome da Alienação Parental, e que é

801 NADER, Paulo. op. cit., p. 402

802 RAMOS, Patricia Pimentel de Oliveira Chambers. op. cit., p. 108

803 MADALENO, Ana Carolina Carpes. Síndrome da Alienação Parental: importância da detecção – aspectos legais e processuais, cit., p. 147

evidente que a criança permanecendo mais tempo sob a supervisão do genitor alienante estará exposta a riscos[804].

Além de encontrar previsão expressa no inciso VII, a suspensão também pode ser configurada nos termos do artigo 1.637 do Código Civil:

> Art. 1.637. Se o pai, ou a mãe, abusar de sua autoridade, faltando aos deveres a eles inerentes ou arruinando os bens dos filhos, cabe ao juiz, requerendo algum parente, ou o Ministério Público, adotar a medida que lhe pareça reclamada pela segurança do menor e seus haveres, até suspendendo o poder familiar, quando convenha[805].

Por óbvio, a alienação parental trata-se claramente de uma forma de abuso de autoridade por parte do genitor alienante, vez que este usufrui da ingenuidade da criança e da confiança que esta possui em seu pai ou mãe, implantar sentimentos de ódio contra o outro genitor, a fim de causar o rompimento afetivo e o afastamento físico e emocional.

Outrossim, como discorrido por todo este capítulo, o exercício da alienação parental, além de expor o desenvolvimento psíquico e corpóreo da criança, desrespeita uma série de direitos

---

804 FERREIRA, Cleonice; FERNANDES, Rogerio Mendes. Síndrome da Alienação Parental: sanções cíveis aplicáveis ao alienador. Disponível em: <http://www.atenas.edu.br/Faculdade/arquivos/NucleoIniciacaoCiencia/REVISTAJURI2012/7%20S%C3%8DNDROME%20DA%20ALIENA%C3%87%C3%83O%20PARENTAL%20san%C3%A7%C3%B5es%20c%C3%ADveis.PDF>.

805 BRASIL, Código Civil (2002). Brasília, DF: Senado Federal, 2002. Disponível em: <http://www.planalto.gov.br/ccivil_03/leis/2002/L10406.htm>.

previstos na Constituição Federal, no Código Civil, no ECA e em demais textos legais do ordenamento jurídico pátrio[806] e, consequentemente, viola encargos inerentes aos progenitores perante os filhos, o que também justifica a suspensão do poder familiar.

Nesse seguimento, o artigo 22 do Estatuto da Criança e do Adolescente, afora discorrer sobre obrigações intrínsecas da paternidade, bem como a obrigação dos genitores de guardar, educar e sustentar sua prole, do mesmo modo determina que é dever dos pais cumprirem determinações judiciais[807]. Assim, o genitor ou responsável que persistir na prática da alienação parental mesmo após ter sofrido alguma das sanções previstas nos incisos do artigo 6º da Lei da Alienação Parental, claramente estará violando decisão judicial[808], o que enseja nos desdobramento previsto no artigo 24 do ECA, que prevê a suspensão ou perda do poder familiar aos pais que não cumprirem as obrigações e deveres elencado no artigo 22 do mesmo diploma legal[809].

---

806 DIAS, Maria Berenice. Alienação parental e a perda do poder familiar. Disponível em: <http://www.mariaberenice.com.br/manager/arq/(cod2_502)3__alienacao_parental_e_a_perda_do_poder_familiar.pdf>.

807 BRASIL. Lei n. 8.069, de 13 de julho de 1990. Dispõe sobre o Estatuto da Criança e do Adolescente e dá outras providências. Lex: Estatuto da Criança e do Adolescente. Disponível em: <http:://www.planalto.gov.br/ccivil_03/Leis/L8069.htm>

808 OLIVEIRA, Mário Henrique Castanho Prado de. A alienação parental como forma de abuso à criança e ao adolescente. 2012. Dissertação (Mestrado em Direito Civil) - Faculdade de Direito, Universidade de São Paulo, São Paulo, 2012. p. 148

809 BRASIL. Lei n. 8.069, de 13 de julho de 1990. Dispõe sobre o Estatuto da Criança e do Adolescente e dá outras providências. Lex: Estatuto da Criança e do Adolescente. Disponível em: <http:://www.planalto.gov.br/ccivil_03/Leis/L8069.htm>.

Dessa forma, apesar da Lei da Alienação Parental não fazer menção a perda do poder familiar, tal providencia é cabível, posto que, o Estatuto da Criança e do Adolescente possui a referida previsão nos casos supra descritos. Aliás, a perda do poder familiar por alienação encontra respaldo no já analisado artigo 1.638 do Código Civil, especificamente em seu inciso IV: "IV - incidir, reiteradamente, nas faltas previstas no artigo antecedente[810]".

Desse modo, é possível a destituição do poder familiar, já que, conforme o próprio artigo 4º da Lei n 12.318/2010 estabelece, a alienação trata-se de uma afronta direta aos direitos fundamentais da criança e do adolescente, configurando uma forma de abuso moral, podendo causar no infante as consequências já analisadas que a seguirão por toda sua vida[811].

Importante ponderar que a aplicação da referida medida não deve ser utilizada como punição ao alienador, mas sim empregada unicamente pensando no bem-estar físico e psicológico da criança e do adolescente. Considerando que a mudança abrupta do cotidiano do menor, mesmo que esta ocorra em prol de seu interesse, pode causar um impacto negativo neste, vez que a criança nutri laços consistentes de amor e afeto pelo genitor alienante e seu precipitado afastamento pode fazer com que a criança sofra[812].

---

810 BRASIL, Código Civil (2002). Brasília, DF: Senado Federal, 2002. Disponível em: <http://www.planalto.gov.br/ccivil_03/leis/2002/L10406.htm>.

811 BRASIL. Lei n. 12.318, de 26 de agosto de 2010. Dispõe sobre a alienação parental e altera o art. 236 da Lei no 8.069, de 13 de julho de 1990. Disponível em: < http://www.planalto.gov.br/ccivil_03/_ato2007-2010/2010/lei/l12318.htm>.

812 RAMOS, Patricia Pimentel de Oliveira Chambers. op. cit., p. 108

Nessa continuidade, a transfiguração repentina da rotina da criança, provoca dificuldades de adequação[813] e o rompimento de orientações que podem causar no menor transtornos emocionais, podendo o quadro de alienação ser agravado[814].

Cabe salientar que a suspensão do poder familiar, bem como sua destituição, é ato preterido pelo Poder Judiciário, sendo a principal tendência dos juízes nos casos de alienação parental em estágio grave ou moderado a determinação de tratamento terapêutico coercitivo[815].

Por fim, nas eventualidades em que o genitor ou responsável alienante aponta diversos empecilhos para a realização da visita, pode o magistrado, fundamentando-se no inciso VI e no parágrafo único do artigo 6º, remodelar a obrigação previamente acordada no que tange a responsabilidade de um dos pais de transportar e buscar o menor nos dias afinados de visita[816].

A referida determinação se dá pelo fato do genitor alienante, de forma corriqueira, conceber bloqueios a fim de dificultar e barrar o contato da criança com seu progenitor, seja em dias de visitação ou exteriores a estes períodos, em virtude de que, como já visto, pais e

---

813 PEREIRA, Caio Mário da Silva. op. cit., p. 362

814 MADALENO, Ana Carolina Carpes. Síndrome da Alienação Parental: importância da detecção – aspectos legais e processuais, cit., p. 148

815 Ibid., p. 124

816 BRASIL. Lei n. 12.318, de 26 de agosto de 2010. Dispõe sobre a alienação parental e altera o art. 236 da Lei no 8.069, de 13 de julho de 1990. Disponível em: < http://www.planalto.gov.br/ccivil_03/_ato2007-2010/2010/lei/l12318.htm>.

mãe tem o direito de conviver e participar do dia a dia do filho, não estando restritos aos dias de visita[817].

Tal plano também ocorre nos casos em que o genitor transforma seu endereço com frequência com o intuito de intricar o direito fundamental da convivência familiar. Nesse sentido, caracterizada o autoritarismo dessa conduta do genitor, a inversão do dever de levar ou retirar a criança pode ser determinado[818].

### 3.6.5 Responsabilidade civil e penal do alienador

O *caput* do artigo 6º da Lei nº 12.318/2010 é enfático ao mencionar que os atos ali descritos poderão suceder-se sem que haja prejuízos à responsabilização civil ou penal do genitor ou responsável alienante[819].

Isto posto, as vítimas da alienação parental, sejam elas o genitor alienado ou a prole, tem o direito à reparação conservada pelo citado artigo[820], podendo estas pleitearem judicialmente indenizações

817 SILVA, Denise Maria Perissini da. Guarda compartilhada e síndrome da alienação parental: o que é isso?, cit. p. 135

818 DIAS, Maria Berenice. Manual de direito das famílias I, cit., p. 548

819 BRASIL. Lei n. 12.318, de 26 de agosto de 2010. Dispõe sobre a alienação parental e altera o art. 236 da Lei no 8.069, de 13 de julho de 1990. Disponível em: < http://www.planalto.gov.br/ccivil_03/_ato2007-2010/2010/lei/l12318.htm>.

820 FERREIRA, Cleonice; FERNANDES, Rogerio Mendes. Síndrome da Alienação Parental: sanções cíveis aplicáveis ao alienador. Disponível em: <http://www.atenas.edu.br/Faculdade/arquivos/NucleoIniciacaoCiencia/REVIS

no âmbito do direito cível ou requerem a responsabilização penal do alienador[821].

De início, na esfera cível, em efêmero resumo, a responsabilidade civil é prevista no título IX do capítulo IV do Código Civil, sendo que logo em seu primeiro artigo, o de número 927, o legislador impõe que o agente que der causa a danos a terceiro, em decorrência de ato ilícito, tem a obrigação legal de reparar os prejuízos[822].

O mesmo diploma legal define o que é ato ilícito em seu artigo 186: "Aquele que, por ação ou omissão voluntária, negligência ou imprudência, violar direito e causar dano a outrem, ainda que exclusivamente moral, comete ato ilícito[823]".

Como visto no título anterior, a alienação parental explicitamente viola direitos do menor e deveres inerentes aos pais, configurando assim ato ilícito passível de responsabilização civil[824].

Outrossim, Flávio Tartuce afirma que a responsabilização civil, além de ter origem a partir do cometimento de atos ilícitos, também motiva-se diante do desrespeito destes por princípios fundamentais que regulam a vida das pessoas em sociedade:

---

TAJURI2012/7%20S%C3%8DNDROME%20DA%20ALIENA%C3%87%C3%83O%20PARENTAL%20san%C3%A7%C3%B5es%20c%C3%ADveis.PDF>.

821 PEREIRA, Caio Mário da Silva. op. cit., p. 360

822 BRASIL, Código Civil (2002). Brasília, DF: Senado Federal, 2002. Disponível em: <http://www.planalto.gov.br/ccivil_03/leis/2002/L10406.htm>.

823 Ibid.

824 DINIZ, Maria Helena. Código Civil: anotado / Maria Helena Diniz - 14. ed. rev. e atual. - São Paulo: Saraiva, 2009. p. 927

> A responsabilidade civil surge em face do descumprimento obrigacional, pela desobediência de uma regra estabelecida em um contrato, ou por deixar determinada pessoa de observar um preceito normativo que regula a vida[825].

Posto isso, por óbvio, o alienador não só desconsidera direitos próprios da criança e do adolescente, como também viola o princípio da dignidade humana, posto que, como demonstrado em todo o capítulo, as consequências advindas da alienação parental são cruéis.

Para mais, trata-se da alienação parental de uma forma de violência psicológica, conforme reconhecido pela Lei nº 13.431, de 4 de abril de 2017, que em seu artigo 4º, inciso II, alínea A:

> Art. 4º. Para os efeitos desta Lei, sem prejuízo da tipificação das condutas criminosas, são formas de violência:
>
> [...]
>
> II - violência psicológica:
>
> [...]
>
> b) o ato de alienação parental, assim entendido como a interferência na formação psicológica da criança ou do adolescente, promovida ou induzida por um dos genitores, pelos avós ou por quem os tenha sob sua autoridade, guarda ou vigilância, que leve ao repúdio

825 TARTUCE, Flávio. Manual de direito civil: volume único / Flávio Tartuce. 5. ed. rev., atual. e ampl. – Rio de Janeiro: Forense; São Paulo: Método, 2015. P. 368

> de genitor ou que cause prejuízo ao estabelecimento ou à manutenção de vínculo com este;[826]

Uma vez considerada forma de violência pela legislação nacional, a alienação parental refere-se a um ato ilícito, assim, enquadrando-se no artigo 927 do Código Civil e, consequentemente, gerando a obrigação, por parte do progenitor ou responsável alienante, de indenizar os danos psicológicos causados pelo o exercício da alienação.

Nesse sentido, pais e menores vítimas da alienação parental, perante as consequências severas causadas pela referida prática, tem o direito de serem indenizados pelos danos morais sofridos, vez que os detrimentos psicológicos e emocionais vivenciados claramente conservam nexo causal direto com a alienação parental[827].

O direito é indenização por dano moral é ainda mais notório nas hipóteses de falsa denúncia de abuso, devido ao genitor alienado ter sua imagem maculada perante toda a sociedade e é obrigado a afastar-se de seu filho. Quanto ao menor alienado, nesses casos, o mesmo também tem o direito de pleitear reparação por danos morais,

---

826 BRASIL. Lei n. 13.431, de 4 de abril de 2017. Estabelece o sistema de garantia de direitos da criança e do adolescente vítima ou testemunha de violência e altera a Lei no 8.069, de 13 de julho de 1990 (Estatuto da Criança e do Adolescente). Disponível em: < http://www.planalto.gov.br/ccivil_03/_ato2015-2018/2017/lei/L13431.htm>.

827 MADALENO, Ana Carolina Carpes. Síndrome da Alienação Parental: importância da detecção – aspectos legais e processuais, cit., p. 141-142

vez que, além de também ter sido exposto, foi sujeitado a riscos desenvolver distúrbios psicológicos e sociais[828].

Quanto ao dano material, está também é cabível, considerando que aqueles envolvidos em conjunturas de alienação parental, em muito dos casos, com a finalidade de encontrar o bem-estar da criança, procuram o auxílio de profissionais, como médico e psicólogos, serviços que, explicitamente, provocam custos[829].

Outro motivo que justifica o pedido de dano material se dá pelo fato de o genitor vítima da alienação ter que se deslocar com frequência em busca da criança, visto que o alienador muda-se de endereço constantemente ou cria diversos empecilhos para dificultar o contato de genitor e prole[830].

Enfim, podem as vítimas requererem a responsabilização do genitor ou responsável alienante no âmbito penal, conforme salientam Ana Carolina Carpes Madaleno e Rolf Madaleno:

> No âmbito penal, o ascendente alienador responde pelo delito de falsa denúncia criminal quando se utiliza das *falsas memórias* para imputar ao outro progenitor a autoria de ato libidinoso, ou outro tipo de violência sexual, ou o crime de calúnia, além da obstrução das visitas e do delito de desobediência judicial, não sendo descartado o crime de abandono de incapaz (art. 133 do CP) quando existe omissão de custódia e de cuidado por parte do progenitor,

828 Ibid., p. 142-143
829 Ibid., p. 142-143
830 Ibid., p. 143

> acarretando perigo concreto para a vida ou para a saúde da vítima, em nada se confundindo e, portanto, nada tendo a ver com o abandono moral[831].

Assim, o ascendente ou responsável alienante além de estarem sujeitos às sanções previstas na Lei nº 12.318/2010, tais como serem advertidos, pagarem multa, ou até mesmo terem a guarda invertida e o poder familiar suspenso, estes estão sujeitos a indenizar aqueles que mais sofreram com a prática da alienação, isto é, os pais que foram afastados de seus filhos e criança que foi posta contra o próprio genitor, colocando-a em conflitos internos que podem originar distúrbios psicológicos e sociais que a prejudicarão por toda sua vida.

831 MADALENO, Ana Carolina Carpes. Síndrome da Alienação Parental: importância da detecção – aspectos legais e processuais, cit., p. 143

## AGRADECIMENTOS

O caminho percorrido para elaboração de uma obra literária trata-se de um percurso desgastantes que envolvem horas de estudo, muitas vezes madrugadas à dentro, dificuldades na conciliação de estudo, trabalho e vida pessoal, além dos obstáculos da vida à que todos estão sujeitos. Assim, não há dúvidas que a realização deste sonho que é publicar um livro sobre um tema que considero de extrema importância, não teria sido alcançado sem o apoio, carinho e dedicação incondicional de quem passo a agradecer:

Primeiramente agradeço a Deus por todas as bênçãos que recebi em toda minha vida, pelo privilégio de ter vivido essa jornada, pela força, coragem e condições atribuídas para que pudesse enfrentar e lutar por meus objetivos, pois sem fé, todas as dificuldades encontradas seriam mais difíceis de ser superadas.

Agradeço aos meus pais Ocimar e Fátima, pela educação que me deram e pelos valores apresentados que me tornaram a pessoa que sou hoje. Agradeço ainda por estarem sempre ao meu lado, me apoiando quando precisei, me corrigindo quando foi necessário, mas principalmente por todo amor e carinho proporcionados por toda minha vida, que me fazem ter orgulho de fazer parte dessa família. Também agradeço ao Reginaldo, que é mais do que um irmão e sim um amigo o qual sei que sempre poderei contar.

Agradeço a minha namorada e futura esposa Francielen, que depois de todos esses anos juntos, só tenho a agradecer por toda afeição, assistência, paciência e companheirismo, não só empregados durante esta jornada, mas por todo o tempo que estamos juntos. Agradeço por existir em minha vida.

Agradeço em especial a Dra. Regiane Scoco Laurádio, minha orientadora na graduação de Direito, que esteve comigo durante todo o processo de elaboração da monografia de conclusão de curso e que deu origem ao presente livro, sempre me auxiliando e estimulando no desenvolvimento deste trabalho.

A todos vocês, muito obrigado!

# SOBRE O AUTOR

Rodrigo Baptistella, Advogado, graduado em Direito pelo Centro Universitário Padre Anchieta, Pós-graduado em Direito de Família e Sucessões pela Faculdade Legale.

Nascido e criado na cidade de Itatiba, localizada no interior do Estado de São Paulo, apaixonado por ler e escrever desde criança, acabei me encontrando no Direito e posteriormente no Direito de Família, o que não foi nenhuma surpresa, pois acredito que o que temos de mais importante na vida é a família, independentemente de sua formação ou de vínculos sanguíneos.

# REFERÊNCIAS BIBLIOGRÁFICAS

BAPTISTA, Sílvio Neves. **Manual de direito de família** / Sílvio Neves Baptista. – 2. ed. rev. e ampl – Recife: Bagaço, 2010.

BRASIL. Associação Brasileira Criança Feliz – ABCF. **Cartilha sobre alienação parental**. vol. I. Porto Alegre: 2014. Disponível em: <http://criancafeliz.org/wp-content/uploads/2015/02/Cartilha-de-Alienacao-Parental-v-site.pdf>.

______. **Código Civil** (1916). Rio de Janeiro, DF: Senado Federal, 1916. Disponível em: <http://www.planalto.gov.br/ccivil_03/leis/L3071.htm >.

______. **Código Civil** (2002). Brasília, DF: Senado Federal, 2002. Disponível em: <http://www.planalto.gov.br/ccivil_03/leis/2002/L10406.htm>.

______. **Código Penal** (1940). Rio de Janeiro, DF: Senado Federal, 1940. Disponível em: <http://www.planalto.gov.br/ccivil_03/decreto-lei/Del2848compilado.htm>.

______. **Código de Processo Civil** (2015). Código de Processo Civil Brasileiro. Brasília, DF: Senado, 2015. Disponível em: <http://www.planalto.gov.br/ccivil_03/_ato2015-2018/2015/lei/l13105.htm>.

______. **Conselho Nacional de Justiça**. Cartilha do divórcio para os pais. Brasília, 2013. Disponível em: <http://www.cnj.jus.br/images/imprensa/cartilha_divorcio_pais.pdf >.

______. **Constituição** (1967). Constituição da República Federativa do Brasil. Brasília, DF: Senado Federal, 1967. Disponível em: < http://www.planalto.gov.br/ccivil_03/constituicao/constituicao67.htm>.

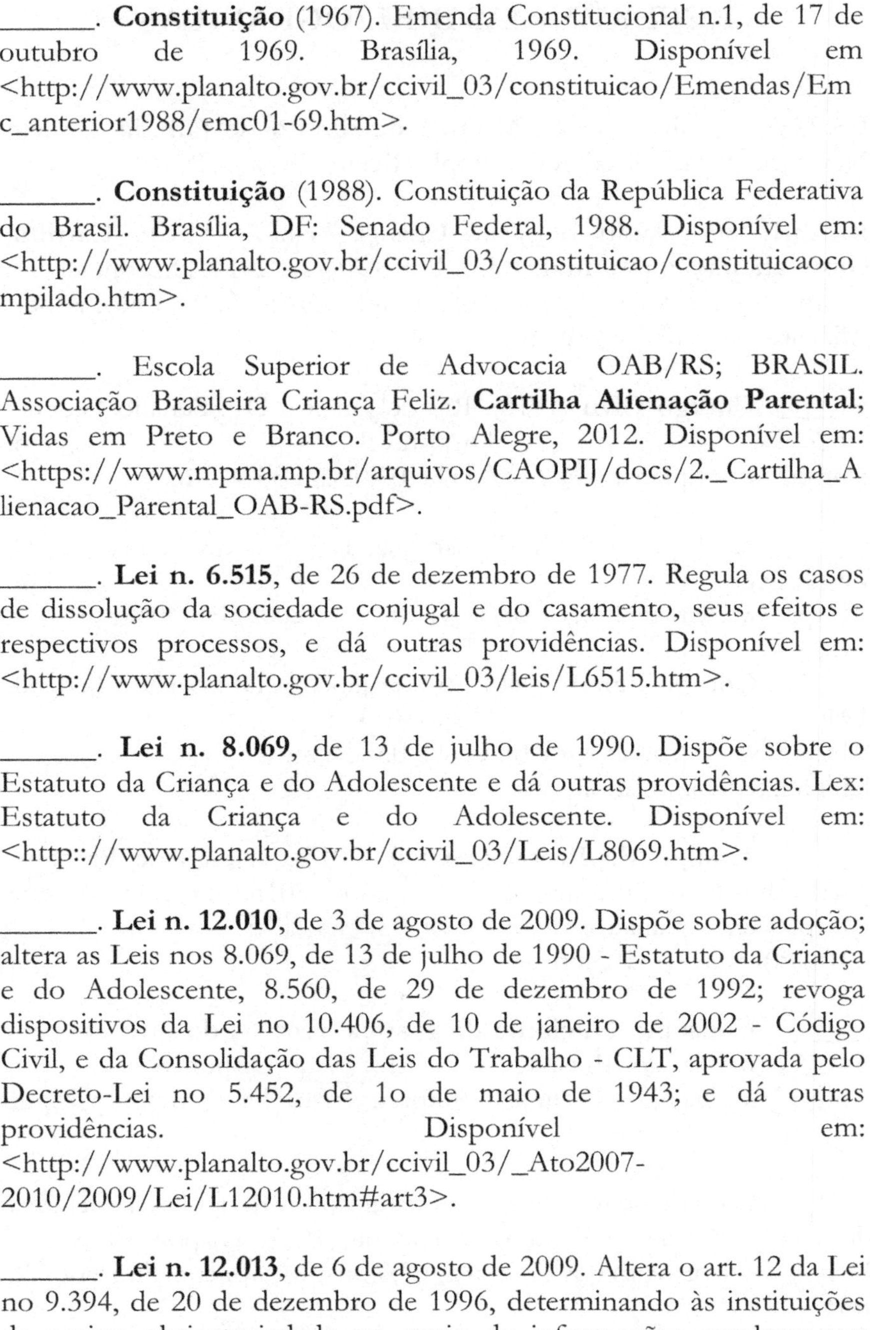

______. **Constituição** (1967). Emenda Constitucional n.1, de 17 de outubro de 1969. Brasília, 1969. Disponível em <http://www.planalto.gov.br/ccivil_03/constituicao/Emendas/Emc_anterior1988/emc01-69.htm>.

______. **Constituição** (1988). Constituição da República Federativa do Brasil. Brasília, DF: Senado Federal, 1988. Disponível em: <http://www.planalto.gov.br/ccivil_03/constituicao/constituicaocompilado.htm>.

______. Escola Superior de Advocacia OAB/RS; BRASIL. Associação Brasileira Criança Feliz. **Cartilha Alienação Parental**; Vidas em Preto e Branco. Porto Alegre, 2012. Disponível em: <https://www.mpma.mp.br/arquivos/CAOPIJ/docs/2._Cartilha_Alienacao_Parental_OAB-RS.pdf>.

______. **Lei n. 6.515**, de 26 de dezembro de 1977. Regula os casos de dissolução da sociedade conjugal e do casamento, seus efeitos e respectivos processos, e dá outras providências. Disponível em: <http://www.planalto.gov.br/ccivil_03/leis/L6515.htm>.

______. **Lei n. 8.069**, de 13 de julho de 1990. Dispõe sobre o Estatuto da Criança e do Adolescente e dá outras providências. Lex: Estatuto da Criança e do Adolescente. Disponível em: <http:://www.planalto.gov.br/ccivil_03/Leis/L8069.htm>.

______. **Lei n. 12.010**, de 3 de agosto de 2009. Dispõe sobre adoção; altera as Leis nos 8.069, de 13 de julho de 1990 - Estatuto da Criança e do Adolescente, 8.560, de 29 de dezembro de 1992; revoga dispositivos da Lei no 10.406, de 10 de janeiro de 2002 - Código Civil, e da Consolidação das Leis do Trabalho - CLT, aprovada pelo Decreto-Lei no 5.452, de 1o de maio de 1943; e dá outras providências. Disponível em: <http://www.planalto.gov.br/ccivil_03/_Ato2007-2010/2009/Lei/L12010.htm#art3>.

______. **Lei n. 12.013**, de 6 de agosto de 2009. Altera o art. 12 da Lei no 9.394, de 20 de dezembro de 1996, determinando às instituições de ensino obrigatoriedade no envio de informações escolares aos

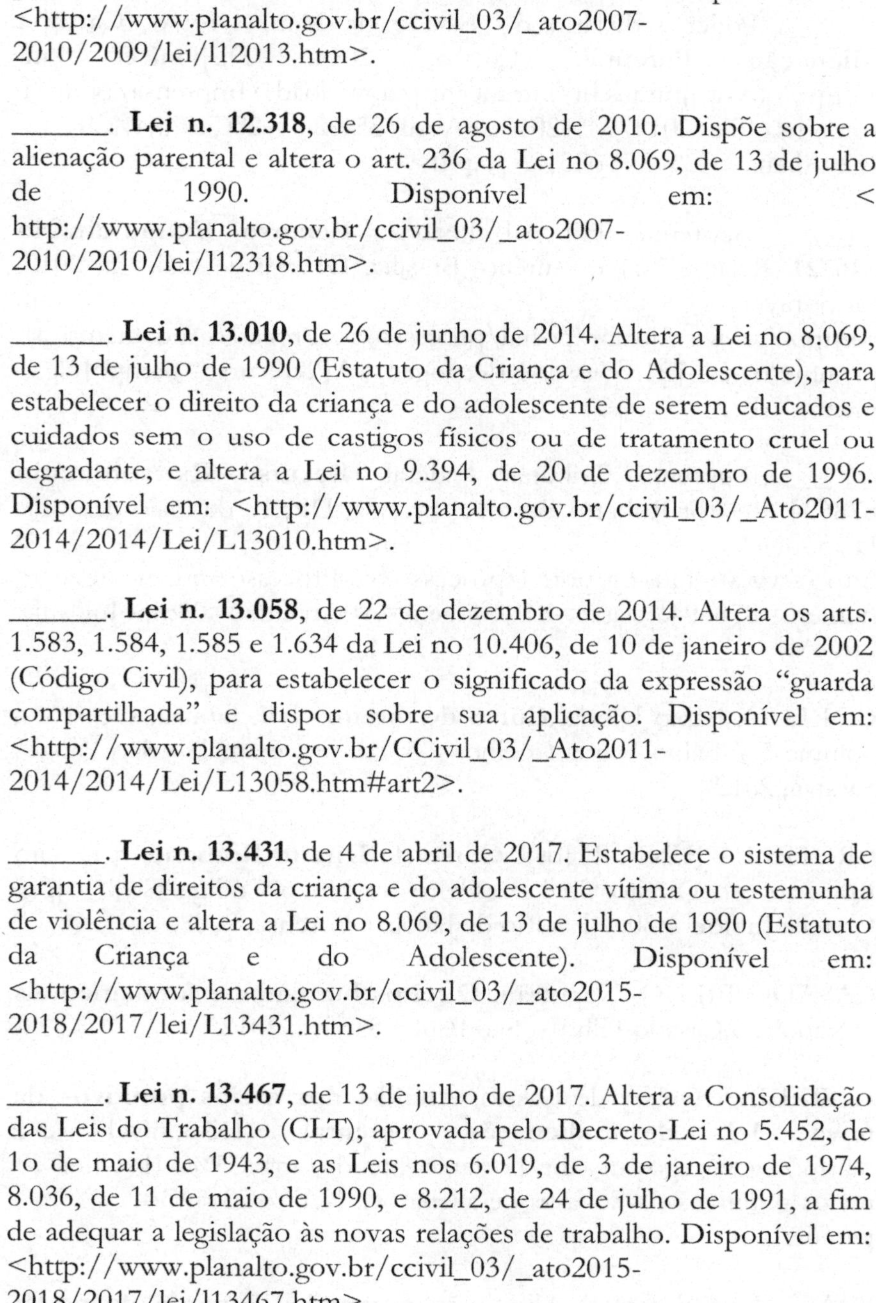

pais, conviventes ou não com seus filhos. Disponível em: <http://www.planalto.gov.br/ccivil_03/_ato2007-2010/2009/lei/l12013.htm>.

______. **Lei n. 12.318**, de 26 de agosto de 2010. Dispõe sobre a alienação parental e altera o art. 236 da Lei no 8.069, de 13 de julho de 1990. Disponível em: < http://www.planalto.gov.br/ccivil_03/_ato2007-2010/2010/lei/l12318.htm>.

______. **Lei n. 13.010**, de 26 de junho de 2014. Altera a Lei no 8.069, de 13 de julho de 1990 (Estatuto da Criança e do Adolescente), para estabelecer o direito da criança e do adolescente de serem educados e cuidados sem o uso de castigos físicos ou de tratamento cruel ou degradante, e altera a Lei no 9.394, de 20 de dezembro de 1996. Disponível em: <http://www.planalto.gov.br/ccivil_03/_Ato2011-2014/2014/Lei/L13010.htm>.

______. **Lei n. 13.058**, de 22 de dezembro de 2014. Altera os arts. 1.583, 1.584, 1.585 e 1.634 da Lei no 10.406, de 10 de janeiro de 2002 (Código Civil), para estabelecer o significado da expressão "guarda compartilhada" e dispor sobre sua aplicação. Disponível em: <http://www.planalto.gov.br/CCivil_03/_Ato2011-2014/2014/Lei/L13058.htm#art2>.

______. **Lei n. 13.431**, de 4 de abril de 2017. Estabelece o sistema de garantia de direitos da criança e do adolescente vítima ou testemunha de violência e altera a Lei no 8.069, de 13 de julho de 1990 (Estatuto da Criança e do Adolescente). Disponível em: <http://www.planalto.gov.br/ccivil_03/_ato2015-2018/2017/lei/L13431.htm>.

______. **Lei n. 13.467**, de 13 de julho de 2017. Altera a Consolidação das Leis do Trabalho (CLT), aprovada pelo Decreto-Lei no 5.452, de 1o de maio de 1943, e as Leis nos 6.019, de 3 de janeiro de 1974, 8.036, de 11 de maio de 1990, e 8.212, de 24 de julho de 1991, a fim de adequar a legislação às novas relações de trabalho. Disponível em: <http://www.planalto.gov.br/ccivil_03/_ato2015-2018/2017/lei/l13467.htm>.

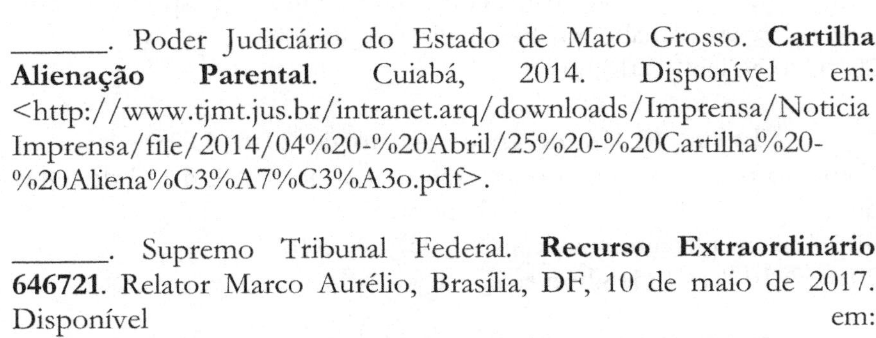

______. Poder Judiciário do Estado de Mato Grosso. **Cartilha Alienação Parental**. Cuiabá, 2014. Disponível em: <http://www.tjmt.jus.br/intranet.arq/downloads/Imprensa/NoticiaImprensa/file/2014/04%20-%20Abril/25%20-%20Cartilha%20-%20Aliena%C3%A7%C3%A3o.pdf>.

______. Supremo Tribunal Federal. **Recurso Extraordinário 646721**. Relator Marco Aurélio, Brasília, DF, 10 de maio de 2017. Disponível em: <http://www.stf.jus.br/portal/processo/verProcessoAndamento.asp?numero=646721&classe=RE&origem=AP&recurso=0&tipoJulgamento=M>.

______, Supremo Tribunal Federal. **Recurso Extraordinário 878694**. Relator Roberto Barroso, Brasília, DF, 10 de maio de 2017. Disponível em: < http://www.stf.jus.br/portal/processo/verProcessoAndamento.asp?numero=878694&classe=RE&origem=AP&recurso=0&tipoJulgamento=M>.

COELHO, Fábio Ulhoa. **Curso de direito civil**, família, sucessões, volume 5 / Fábio Ulhoa Coelho. – 5. ed. rev. e atual. – São Paulo : Saraiva, 2012.

CRETELLA JÚNIOR, José. **Curso de Direito Romano**: o Direito Romano e o Direito Civil Brasileiro no Novo Código Civil / José Cretella Júnior. – 30. ed. – Rio de Janeiro: Forense, 2008.

CASADO FILHO, Napoleão. **Direitos humanos e fundamentais** / Napoleão Casado Filho. – São Paulo: Saraiva, 2012.

CORREIA, Eveline de Castro. **Análise dos meios punitivos da nova lei de alienação parental**. Disponível em: <http://www.egov.ufsc.br/portal/conteudo/an%C3%A1lise-dos-meios-punitivos-da-nova-lei-de-aliena%C3%A7%C3%A3o-parental>.

DIAS, Maria Berenice. **Alienação parental e a perda do poder**

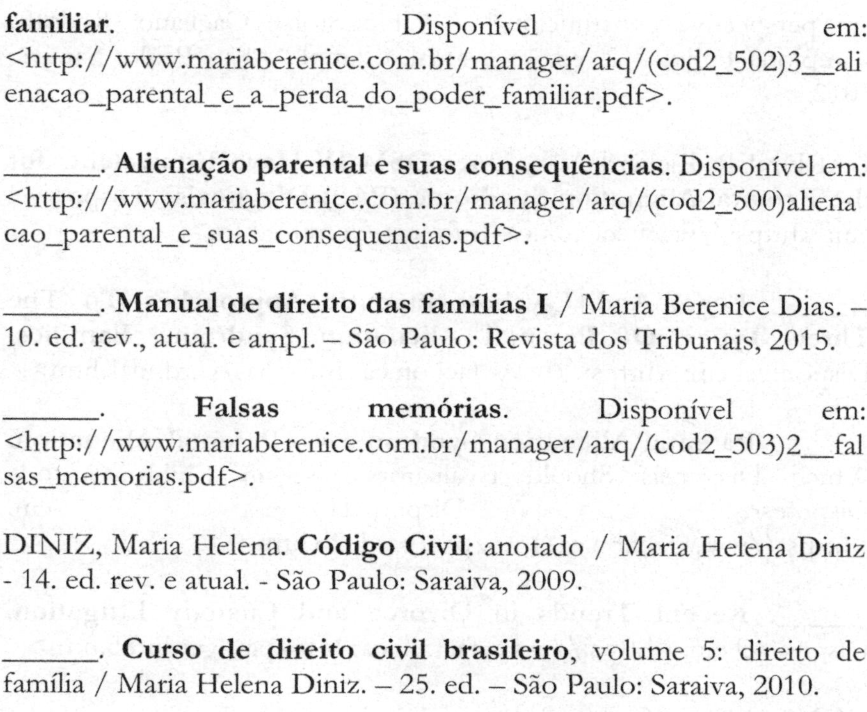

**familiar**. Disponível em: <http://www.mariaberenice.com.br/manager/arq/(cod2_502)3__alienacao_parental_e_a_perda_do_poder_familiar.pdf>.

______. **Alienação parental e suas consequências**. Disponível em: <http://www.mariaberenice.com.br/manager/arq/(cod2_500)alienacao_parental_e_suas_consequencias.pdf>.

______. **Manual de direito das famílias I** / Maria Berenice Dias. – 10. ed. rev., atual. e ampl. – São Paulo: Revista dos Tribunais, 2015.

______. **Falsas memórias**. Disponível em: <http://www.mariaberenice.com.br/manager/arq/(cod2_503)2__falsas_memorias.pdf>.

DINIZ, Maria Helena. **Código Civil**: anotado / Maria Helena Diniz - 14. ed. rev. e atual. - São Paulo: Saraiva, 2009.

______. **Curso de direito civil brasileiro**, volume 5: direito de família / Maria Helena Diniz. – 25. ed. – São Paulo: Saraiva, 2010.

ENGELS, Friedrich. **A Origem da Família da Propriedade Privada e do Estado** / Friedrich Engels. - 9. ed. – Rio de Janeiro: Civilização Brasileira, 1984.

FARIAS, Cristiano Chaves de; ROSENVALD, Nelson. **Curso de direito civil**: famílias, volume 6 / Cristiano Chaves de Farias; Nelson Rosenvald. – 7. ed. rev. ampl. e atual. – São Paulo: Atlas, 2015.

FERREIRA, Cleonice; FERNANDES, Rogerio Mendes. **Síndrome da Alienação Parental**: sanções cíveis aplicáveis ao alienador. Disponível em: <http://www.atenas.edu.br/Faculdade/arquivos/NucleoIniciacaoCiencia/REVISTAJURI2012/7%20S%C3%8DNDROME%20DA%20ALIENA%C3%87%C3%83O%20PARENTAL%20san%C3%A7%C3%B5es%20c%C3%ADveis.PDF>.

GAGLIANO, Pablo Stolze; PAMPLONA FILHO, Rodolfo. **Novo curso de direito civil**, volume 6 : Direito de família — As famílias em perspectiva constitucional / Pablo Stolze Gagliano, Rodolfo Pamplona Filho. – 2. ed. rev., atual. e ampl. – São Paulo: Saraiva, 2012.

GARDNER, Richard Alan. **Does DSM-IV Have Equivalents for the Parental Alienation Syndrome (PAS) Diagnosis?**. Disponível em: <https://www.fact.on.ca/Info/pas/gard02e.htm>.

______. **Legal And Psychotherapeutic Approaches To The Three Types Of Parental Alienation Syndrome Families**. Disponível em: <https://www.fact.on.ca/Info/pas/gardnr01.htm>.

______. **Parental Alienation Syndrome vs. Parental Alienation**: Which Diagnosis Should Evaluators Use in Child- Custody Disputes?. Disponível em: <https://www.fact.on.ca/Info/pas/gard02b.htm>.

______. **Recent Trends in Divorce and Custody Litigation**. Disponível em: <https://www.fact.on.ca/Info/pas/gardnr85.htm>.

GONÇALVES, Carlos Roberto. **Direito civil**, 3: esquematizado: responsabilidade civil, direito de família, direito das sucessões / Carlos Roberto Gonçalves. - 4. ed. - São Pauloo: Saraiva, 2017.

______. **Direito civil brasileiro**, volume 6: direito de família / Carlos Roberto Gonçalves. – 9. ed. – São Paulo : Saraiva, 2012.

LÔBO, Paulo. **Direito civil**: famílias / Paulo Lôbo. – 4. ed. – São Paulo: Saraiva, 2011.

MADALENO, Ana Carolina Carpes. **A Alienação Parental, suas consequências e a busca de soluções à luz das Constelações Familiares e do Direito Sistêmico**. Disponível em: <http://carpesmadaleno.com.br/gerenciador/doc/ce3c93873e2f4ac433a5bdac5c8f5b7daaliena_C_eoparentalsuasconsequ_unciaseabuscadesolu_C_Ies_aluzdasconstela_C_Iesfamiliaresedodireitosist_umico.pdf>.

______. **Síndrome da Alienação Parental**: importância da detecção

– aspectos legais e processuais / Ana Carolina Carpes Madaleno, Rolf Madaleno. – 5. ed. rev., atual. e ampl. – Rio de Janeiro: Forense, 2018.

MADALENO, Rolf. **Curso de direito de família** / Rolf Madalena. - 51 ed. rev., atual. e ampl. - Rio de Janeiro: Forense, 2013.

MALUF, Adriana Caldas do Rego Freitas Dabus. **Novas modalidades de família na pós-modernidade**. 2010. Tese (Doutorado em Direito Civil) - Faculdade de Direito, Universidade de São Paulo, São Paulo.

MENDES, Gilmar Ferreira; COELHO, Inocêncio Mártires; BRANCO, Paulo Gustavo Gonet; **Curso de direito constitucional** / Gilmar Ferreira Mendes, Inocêncio Mártires Coelho, Paulo Gustavo Gonet Branco. - 4. ed. rev. e atual. - São Patdo: Saraiva, 2009.

MICHAELIS. **Dicionário Brasileiro da Língua Portuguesa**. Disponível em: <http://michaelis.uol.com.br/busca?r=0&f=0&t=0&palavra=familia>.

______. **Dicionário Brasileiro da Língua Portuguesa.** Disponível em: <http://michaelis.uol.com.br/moderno-portugues/busca/portugues-rasileiro/sindrome/>.

NADER, Paulo. **Curso de direito civil**, volume 5: direito de família / Paulo Nader. – 7. ed. – Rio de Janeiro: Forense, 2016.

NOVELINO, Marcelo. **Curso de direito constitucional**/ Marcelo Novelino. - 11. ed. rev., ampl. e atual. - Salvador: JusPodivm, 2016.

______. **Direito constitucional** / Marcelo Novelino. – 7. ed. rev., atual. e ampl. –São Paulo: Método, 2012.

OLIVEIRA, Mário Henrique Castanho Prado de. **A alienação parental como forma de abuso à criança e ao adolescente**. 2012. Dissertação (Mestrado em Direito Civil) - Faculdade de Direito,

Universidade de São Paulo, São Paulo, 2012.

PEREIRA, Caio Mário da Silva. **Instituições de direito civil** – Vol. V / Atual. Tânia da Silva Pereira. – 25. ed. rev., atual. e ampl. – Rio de Janeiro: Forense, 2017.

PEREIRA, Rodrigo da Cunha. **Dicionário de direito de família e sucessões**: Ilustrado / Rodrigo da Cunha Pereira. - São Paulo: Saraiva, 2015.

PINHO, Rodrigo César Rebello. **Teoria geral da constituição e direitos fundamentais** / Rodrigo César Rebello Pinho. – 12. ed. – São Paulo: Saraiva, 2012.

PODEVYN, François. **Síndrome de Alienação Parental**. Tradução para Português: Apase – Associação de Pais e Mães Separados. Disponível em: <http://www.apase.org.br/94001-sindrome.htm>.

PORTAL BRASIL. **Em 10 anos, taxa de divórcios cresce mais de 160% no País**. Disponível em: <http://www.brasil.gov.br/cidadania-e-justica/2015/11/em-10-anos-taxa-de-divorcios-cresce-mais-de-160-no-pais>.

RAMOS, Patricia Pimentel de Oliveira Chambers. **Poder familiar e guarda compartilhada**: novos paradigmas do direito de família / Patricia Pimentel de Oliveira Chambers Ramos. – 2. ed. – São Paulo : Saraiva, 2016.

SILVA, Denise Maria Perissini da. **Guarda compartilhada e síndrome da alienação parental**: o que é isso? / Denise Maria Perissini da Silva. – 2. ed. revista e atualizada – Campinas, SP: Armazém do Ipê, 2011. p. 60

______. **Psicologia jurídica no processo civil brasileiro**: a interface da psicologia com o direito nas questões de família e infância / Denise Maria Perissini da Silva. – 3. ed. rev., atual. e ampl. – Rio de Janeiro: Forense, 2016.

SOUZA, Juliana Rodrigues de. **Alienação parental – Sob a**

**perspectiva do direito à convivência familiar** 2ª Edição / Juliana Rodrigues de Souza – Leme/SP: Mundo Jurídico, 2017.

TARTUCE, Flávio. **Direito civil**, volume 5: direito de família / Flávio Tartuce. – 9. ed. rev., atual. e ampl. – Rio de Janeiro: Forense; São Paulo: Método, 2014.

______. **Manual de direito civil**: volume único / Flávio Tartuce. 5. ed. rev., atual. e ampl. – Rio de Janeiro: Forense; São Paulo: Método, 2015.

VARELLA, Drauzio. **Prisioneiras** / Drauzio Varella. — 1ª- ed. — São Paulo: Companhia das Letras, 2017.

VENOSA, Sílvio de Salvo. **Direito civil**: direito de família / Sílvio de Salvo Venosa. - 11 ed. - São Paulo: Atlas, 2011.

Made in United States
Orlando, FL
05 June 2024